**Curso comunicativo
de español
para extranjeros**

Esto
funciona

A

Libro de ejercicios

Equipo Pragma:
Ernesto Martín Peris
Lourdes Miquel López
Neus Sans Baulenas
Terencio Simón Blanco
Marta Topolevsky Bleger

Diseño gráfico y portada:
Viola & París

Ilustraciones:
Romeu
Mariel Soria

Técnico de grabación:
Joan Vidal

 **edelsa edi·6**

General Oráa, 32
28006 MADRID

Primera edición, 1986
Segunda reimpresión, 1988
Tercera reimpresión, 1989
Cuarta reimpresión, 1991

© Equipo Pragma
   EDELSA-EDI-6
ISBN: 84-8578-690-4
Depósito legal: M. 19.036-1991
Printed in Spain - Impreso en España por
Gráficas Rogar - Fuenlabrada (Madrid)

1

YO, POR EJEMPLO,...

1.

1.1.

Relaciona las frases de acuerdo con lo que sabes de los personajes del avión:

Va a vivir en Madrid	y le apunta el número de teléfono del despacho
No está contento	Trabajaba como intérprete
Habla muy bien español	y va a Bilbao
Vivió una época en Nueva York	pero no conoce ningún hotel
Le ofrece su tarjeta	No le ha ido muy bien en los Estados Unidos
Viene de Nueva York	Es de origen mejicano

1.2.

¿Verdad o mentira?

	V	M
1. Cada uno de ellos comenta únicamente aspectos positivos del carácter del otro.	☐	☐
2. Uno de ellos no siempre es muy sociable.	☐	☐
3. Uno de ellos es muy tranquilo.	☐	☐
4. El otro cuando se pone nervioso dice todo lo que piensa.	☐	☐

l'aducah = expise

Lee estos consejos que da a sus clientes una agencia de viajes.

Consejos Prácticos

+Subj

En sus viajes por el extranjero les recomendamos que lleven consigo moneda de curso legal de los países que vayan a visitar, desde el inicio del viaje. Esto les evitará pérdidas de tiempo en los bancos, hoteles, etc. durante el circuito y se verán favorecidos, al mismo tiempo, con un cambio más conveniente a sus intereses.

omprobar/Check

Compruebe, antes de emprender el viaje, si para entrar en los países que vaya a visitar se necesita el pasaporte en regla, o bien es suficiente el carnet de identidad. No son válidos nunca fotocopias del carnet o que éstos estén caducados. Aunque en la mayoría de países europeos ya no es necesario el pasaporte, es mejor asegurarse para evitar situaciones difíciles de solucionar una vez iniciado el circuito.

Uds. que van a recorrer varios países, recuerden que la climatología puede variar de un punto a otro, dentro del mismo día, por lo tanto, no está de más que incluyan en su equipaje una prenda para protegerse de la lluvia que puede aparecer inesperadamente.

Sub

Aconsejamos que comprueben detenidamente si se olvidan algo en las habitaciones de los hoteles, antes de reemprender la marcha.

En casi todos los circuitos hay varias visitas facultativas, consulte nuestro folleto o pida información a su agencia de viajes si tiene alguna duda, pues en caso de que les interese realizarlas podrán preveer su reserva monetaria para tal fin, antes de iniciar el viaje.

No olviden dejar sus preocupaciones en sus ciudades de origen. Al emprender el viaje relájese y dispóngase a disfrutar de sus vacaciones, pues todo está previsto para ofrecerles los mejores servicios. No dude en confiar en el jefe de grupo que les acompañará, es la persona adecuada para orientar, aconsejar e informarles durante el circuito. Asimismo, al volante irá un auténtico especialista del autocar. Esperamos verles pronto, durante el período mágico de sus vacaciones.

¿El texto dice las siguientes cosas? ¿Dónde?

1. Hay que cambiar dinero en el propio país. Es mejor.
Les recomendamos que lleven consigo moneda de curso legal de los países

2. Hay que saber qué documento se necesita para visitar un país. *que vayan a visitar.*
Compruebe si se necesita pasaporte en regla o el carnet.

3. Antes de irte de un hotel tienes que mirar con atención la habitación para no olvidar nada.

4. Para entrar en muchos países de Europa los españoles solo necesitan el carné de identidad.

5. Es mejor llevar un paraguas o un impermeable por si llueve.

6. Tienes que preguntarle al guía todo lo que quieras saber.

torpe = awkward, dim.

2.

Lee el siguiente texto de Antonio Gala de su libro *Paisaje con figuras:*

(En un modesto café madrileño. Frente a ANTONIO MACHADO, siempre fumando, GUIOMAR, de espaldas)

MACHADO.– Hoy sé que me despido también de ti, Guiomar. *(Ella se lleva un pañuelo a los ojos).* No llores, amor mío. Mientras recordemos, estaremos viviendo. Yo te veré como estás hoy, Guiomar. No llores. No quiero recordarte llorando... Y tú a mí, ¿cómo me vas a recordar? ¿Cómo un viejo lleno de caspa, de cenizas, de arrugas, torpe y un poco tonto? Dime, Guiomar.

dandruff

GUIOMAR.– No, no...

MACHADO.– Si alguien te preguntara un día cómo fui, no digas lo que ves. Cierra los ojos y contesta: "Antonio Machado era un poeta español". Nada más. Lo otro es verdad y mentira a la vez, según se mire y según quién lo mire. Cuantas menos cosas se digan de nosotros, mejor. Y las que se digan que estén plantadas, fijas, como los viejos árboles. Honrado, sincero, generoso: ¿se puede decir eso de mí?

GUIOMAR.– Sí, Antonio. Se tiene que decir.

MACHADO.– Un poeta español. Y sin muchos recursos. Un poeta sencillo y muy directo.

GUIOMAR.– ¡Qué bueno eres, Antonio!

MACHADO.– Sí, soy, en el buen sentido de la palabra, bueno. En este país el mal sentido es tonto. Y yo creo que en el mal sentido también soy algo bueno.

Y ahora contesta a estas preguntas:

1. ¿Cree Guiomar que Machado es torpe y un poco tonto? *No*

2. ¿Qué quiere Machado que Guiomar diga de su carácter? ¿Por qué?
Que es un poeta español. Dice que cuantas menos cosas se digan de nosotros, mejor.

3. ¿Qué otros datos conoces del carácter de Machado?

4. "Soy, en el buen sentido de la palabra, bueno" es una frase muy famosa del poeta. ¿Cuál es el mal sentido? ¿Es también "bueno" en ese sentido? *Dice que est.*
tonto

3.

Si eres demasiado bueno eres tonto
porque la gente aprovecha de ti.

El año pasado hiciste un viaje a la U.R.S.S. Ahora quiere hacer el mismo viaje un amigo tuyo y te ha escrito pidiéndote información. Escríbele proporcionándole dicha información y dándole, además, algunos consejos. Busca la información en los siguientes cuadros y selecciona la que consideres más interesante:

bondad = goodness

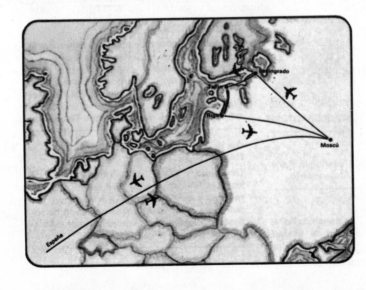

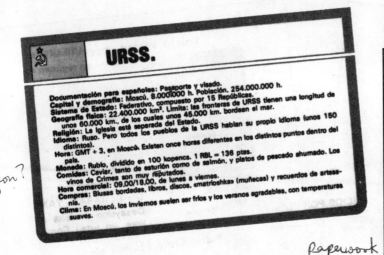

PEQUEÑOS CONSEJOS

- Lleve ropa de abrigo, pues el clima es más bien fresco.
- No deje de visitar el metro de Moscú. Es una obra de arte contemporáneo.
- Siga los consejos prácticos de los guías del viaje, (ello) le hará gozar de tanta belleza, con la mayor comodidad.
- Recuerde que, aunque europeos, la mentalidad de estos pueblos es muy distinta.
- Suelen ser muy rigurosos los trámites aduaneros, sobre todo en las declaraciones de dinero. Lleve dólares USA.

stingeon?

paperwork procedure

4.

Un fin de semana estuviste en un camping y allí conociste a unos españoles muy simpáticos y alegres. Has recibido una carta de uno/a de ellos que habla de tu carácter. A ti te parece que lo que dice es exagerado y que no es verdad. Contéstale explicando realmente como eres:

5.

Tienes varios amigos que se quieren marchar de vacaciones y no saben a dónde:

1. A uno de ellos le gusta mucho la naturaleza y practica deportes náuticos.

2. Otro de ellos estudia historia y le interesan mucho las culturas antiguas.

3. A otro no le gusta el campo ni la playa. Prefiere las grandes ciudades. Está estudiando español.

4. El último vive en Barcelona y no quiere hacer un viaje muy largo porque va mal de dinero.

Escríbele a cada uno una carta corta para mandársela con estos anuncios e informaciones que has encontrado para ellos. Aconséjale a cada uno el viaje que creas más adecuado. Busca para ello información en los textos:

estremecer - to shake, tremble (handwritten)

Otro mundo, otra historia, otro aire.. Tómese un mes en México.

Reflect (handwritten)

amazed (handwritten)

Le va a sentar bien. Otro continente, otra latitud, otros principios. Recapacitar, asombrado, ante el increíble testimonio de otras culturas que se desarrollaron en base a otras creencias, otros fines y otros procedimientos.

Es estremecedor y alucinante. Le ayudará a verlo todo más claro. Porque sentir otra dimensión del hombre es acercarse a sí mismo.

Lo va a notar frente a los restos de las culturas Maya, Azteca o Tolteca. En Teotihuacán, Chichen-Itzá, o Cholula. Desde lo alto de pirámides con más de 3.000 años de historia o ante cualquiera de los infinitos restos arqueológicos distribuidos por toda la geografía de México.

Es lo que le queda por conocer y lo que está buscando. Y es sólo uno de los innumerables atractivos de México. Uno de los países más maravillosos de la Tierra. El país de Aeroméxico. La Línea Aérea que pone a su alcance México.

Anímese. Sólo tiene que acercarse a su Agencia de Viajes y solicitar nuestro folleto MEXICOTOURS 1981.

Descubra porqué Colón volvió varias veces.

República Dominicana.
9 días desde 124.500 pts.

enchanted (handwritten)

El primer español que visitó la actual República Dominicana, quedó prendado de sus playas doradas y sus verdes palmeras, de su clima tropical y de la hospitalidad de su gente.

Hoy, este hermoso país tiene aún más atractivos. Porque ahora, además de admirar el paisaje, nadar y tumbarse al sol, puede practicar submarinismo, pasear por callejuelas coloniales, bailar en sus discotecas, jugar al golf o al tenis...

Y todo esto al alcance de sus pesetas. Ahora el corazón del Caribe está muy cerca con Iberia. En un confortable viaje, rodeado de atenciones. Infórmese en su Agencia de Viajes o en Iberia, Líneas Aéreas de España.

COSTA BRAVA

Desde Port Bou, en Gerona, hasta Alcanar, último pueblo de la provincia de Tarragona, se extiende la Costa Catalana, que engloba la Costa Brava, desde Port-Bou a Blanes, y la Costa Dorada, desde Malgrat a Alcanar. Las provincias de Gerona, Barcelona y Tarragona, en el litoral, bañadas por el mar Mediterráneo, gozan de su benéfica influencia. Sus costas, recortadas, agrestes y rocosas, abrigan pequeñas calas de aguas transparentes y playas doradas y finas arenas bajo el luminoso cielo azul, que resalta las diversas tonalidades de sus tranquilas aguas, en las que pueden practicarse todos los deportes acuáticos; navegación a vela, pesca submarina, esquí acuático, etc. Pinos, alcornoques, higueras y olivos forman un telón de fondo de este maravilloso escenario natural en el que el paisaje cambia constantemente haciéndose nuevo. A sus bellezas naturales se une un clima siempre suave durante las cuatro estaciones del año, con escasos días de lluvia y muy poca humedad.

backdrop (handwritten)

HISTORIA

Innumerables y valiosísimas huellas ha dejado en esta tierra el paso de las civilizaciones. Fenicios, griegos, romanos y cartagineses dejaron importantes vestigios de su civilización, elocuentes de la dominación árabe. Ampurias es una sorprendente evocación de mundos eternos, Rosas, Lloret, Tossa, Castell (Palamós) guardan también inapreciables recuerdos: mosaicos, murallas, torres, castillos y monasterios. Tarragona, la antigua Tarraco, una de las ciudades más importantes del Imperio Romano, englobó en su colonia a Lérida. Durante la dominación musulmana, Lérida constituyó la Taifa de Lareda, perdurando todavía la influencia que ejercieron los musulmanes en el sur de la provincia. Barcelona ha utilizado los restos de las fortificaciones romanas como base de los palacios del Arcediano, la Casa Padellás y el de la Academia de las Buenas Letras. Las diversas manifestaciones artísticas culminan en el Barrio Gótico, pleno de evocaciones de esplendor histórico de días pasados y que hoy está sumido en la quietud y el silencio.

MADRID

geografía urbana

Situado Madrid en el paralelo 40 (meseta de Castilla la Nueva) ocupa el centro geográfico de la Península Ibérica. El suelo (unas colinas de arenas terciarias) está a 650 metros sobre el nivel del mar. Del cielo basta decir que la reproducción de sus claras tonalidades dio fama universal al mejor pintor de todos los tiempos: don Diego de Silva y Velázquez. Desde él, a los bellos cielos de Madrid se les llama "velazqueños".

Los meteorólogos afirman que Madrid es una de las ciudades europeas que cuenta con mayor numero de días de cielo limpio al año. Las primaveras madrileñas tienen sol claro y aire fino con olor a pinos y jaras. Los otoños tienen cielos transparentes, "velazqueños", y aire tibio.

El rey Felipe III, nacido en Madrid, la hizo capital definitiva de las Españas en 1606. Ya andaba Don Quijote por el mundo. Justamente un año antes había salido su primera edición de las prensas de Juan de la Cuesta, en la madrileña calle de Atocha. Madrid tiene su pequeño río, el Manzanares, con poca agua, mucha literatura y grandes puentes históricos. También parten todas las carreteras radiales hacia la periferia del país, que tienen en ella su "kilómetro cero".

Madrid ha crecido mucho en los últimos lustros. Es ya una capital de más de cuatro millones de habitantes, con una extensión de 531 kilómetros cuadrados en su término municipal. Muchas cosas antiguas de gran emoción histórica y algunas modernas de indudable valor. Lo primero es conocer los distintos MADRILES. (El plural no es un capricho del lenguaje, es una realidad.) Hay un Madrid de los Austrias o Felipes. El de los Borbones o Carlos. El Madrid goyesco. El del Museo del Prado. El Madrid romántico o isabelino. El de las novelas de Galdós (nuestro Balzac, nuestro Dickens). Hay un Madrid pintoresco del Rastro, de los toreros, los "bailaores" de flamenco, los anticuarios y los artistas. Y otros Madriles... Los iremos conociendo. A Madrid hay que vivirlo antes de contarlo.

6.

Organiza los diálogos de acuerdo con cada situación:

1. Dos compañeros de curso en la universidad.

2. Una pareja de vacaciones.

en general – banking.

3. Dos empleados de banca que se acaban de conocer.

Exercen la medicina ⇒ Son medicos.

4. Dos hermanos que van a salir de excursión.

5. Dos compañeros de oficina después del veraneo.

6. Dos compañeros de trabajo que se conocen desde hace tiempo.

● Mire, tome mi tarjeta. Si me necesita, no dude en llamarme.

Pues las vacaciones no han sido tan interesante como esperábamos.

Lo que más me gusta de ti es que te llevas bien con todo el mundo.

Este hotel está muy bien, ¿no crees?

¿Cómo es que vienes a clase con la moto de tu hermano? ¿Y la tuya?

¿Me dejas tu cámara fotográfica? La mía no funciona bien.

○ Es que la mía está en el taller. No iba bien.

Sí, ha sido una gran idea venir aquí.

¡Qué le vamos a hacer!

No creas...

Lo siento, pero la necesito yo.

Gracias. Aquí tiene usted la mía.

7.

Condicionales.

Completa estas frases con los verbos de la columna de la derecha:

1. ¿Va usted a vivir en Tarragona? Pues yo en su lugar no _alquilaria_ un apartamento, lo _compraria_

2. ¿Que se ha enfadado el jefe? Pues yo no me _preocuparia_ ya se le pasará.

3. Hombre, puede tomar un taxi, pero yo _cogería_ el metro. Está muy cerca de casa y es más barato.

4. ¿Vais a Zaragoza en coche? Pues yo en vuestro lugar _saldría_ pronto para no encontrarme con todo el tráfico.

5. He visto la carta que le escribes al Sr. Estella y me parece bien, pero yo no le _diría_ nada sobre el asunto de Perales.

6. No me gusta esa estantería al lado de la ventana. Yo en tu lugar la _pondría_ allí.

decir
alquilar
coger
salir
poner
preocupar
comprar

1.

8.

Completa siguiendo el modelo:

Oye, Inés, ¿qué tal _te fue_ el examen (ayer?)

1. ¿Qué tal _os fue_ ✓ la excursión a tus amigos y a ti (ayer?)

2. A mí _me ~~fue~~ han ido_ muy bien las vacaciones este verano.

3. Ya sabes que Carmen y Cristina se han examinado (esta mañana) del carné de conducir, ¿no? Pues me han dicho que no _les ha ido_ ✓ bien.

4. ¿Qué tal _te fue_ ✓ el partido de tenis (anoche?) ¿Ganaste?)

5. ¿Qué tal _le fue_ ✓ la entrevista a tu hermano (la semana pasada?)

Esta mañana — he jugado el tenis.

9.

Transforma siguiendo el modelo:

Yo me pongo de mal humor con esta gente.

Esta gente me pone de mal humor.

1. Julia se pone de mal humor en estas situaciones.

✓ _~~Estas situaciones~~ la ponen_

2. Es que contigo me pongo muy nervioso.

✓ _tu me pones nerviosa._

3. Es que Andrea contigo se pone muy nerviosa.

✓ _la pones_

4. Siempre se ponen muy nerviosos con los exámenes.

✓ _los / les ponen nerviosos._

5. ¿Tú no te pones nervioso antes de las tormentas?

✓ _A ti no te ponen nervioso las tormentas?_

6. Nuestra <u>hija</u> pequeña se pone nerviosa con las películas de la tele.

la ponen nerviosa.

14

10.

Completa con muy, mucho, tanto y con esperar, querer, pensar o creer:

1. ● ¿Encontrasteis _mucho_ tráfico?

   O No _tanto_ como ~~esperabamos / creiamos~~ / pensabamos

2. ● ¿Recibiste _muchas_ cartas?

   O No _tantas_ como _esperaba_

3. ● ¿Fue un examen _muy_ difícil?

   O No _tanto_ como todo el mundo _creía / pensaba._

4. ● ¿Te dolió _mucho_ al sacarte la muela?

   O No _tanto_ como _esperaba. – pensaba._

5. ● ¿Compraron ustedes _muchas_ cosas?

   O No _tantas_ como _queriamos_

11.

Completa las frases con los verbos y expresiones que mejor correspondan:

1. Es una suerte, nunca se pone nerviosa, siempre _se toma_ _las cosas con calma._

irle algo bien/mal a alguien

2. Tiene muy mal carácter, se enfada por cualquier cosa, pero _se le pasa enseguida._

3. Yo creía que eran muy amigos, pero me han dicho que _se llevan muy mal._

4. Es extraño: hay gente que encuentra muy simpático(a) Antonio Mir, pero hay otras personas a quienes _les cae muy mal_

5. Empezó teniendo muchos éxitos, pero ya hace tiempo que las cosas _le van mal_

irle mal

tomarse las cosas con calma

llevarse muy mal

caerle muy mal

pasársele enseguida _algo a alg._

llevarse muy mal (con) alguien.

15

1.

12.

Condicional

Estás en estas situaciones y no sabes qué hacer. Pide consejo:

Anoche te enfadaste con Pili y no sabes si hablar con ella o esperar a ver qué pasa.

¿Vosotros qué haríais: hablaríais con ella o esperaríais a ver qué pasa?

1. Hace tiempo que no sabes nada de Eladio y no sabes si escribirle una carta o llamarlo por teléfono.

   Vosotros qué haríais: escribiríais or le llamaríais?

2. Es el cumpleaños de un amigo tuyo y no sabes si invitarlo a cenar o regalarle algo.

   Que harías tú? le invitarías or le regalarías algo?

3. Esta noche llega un amigo tuyo a pasar unos días contigo. No sabes si ir a buscarlo a la estación o esperarlo en casa.

   le buscarías   iríais   esperaríais

4. Hoy cumple tu hijo tres años y van a venir a merendar sus amiguitos. No sabes si hacer un pastel o encargarlo en una pastelería.

   Que harías tú? Hacerías el pastel or lo encargarías?

5. Hace dos días te hicieron una entrevista para un trabajo y todavía no te han dicho nada. No sabes si llamar por teléfono o esperar un par de días más.

   _____

13.

Completa con una palabra en cada espacio:

1. ● Toni y su mujer no se entienden en absoluto, ___se___ ___llevan___ muy mal.

2. ● ¿Todavía estás enfadado con Enrique o ya ___se___ ___te___ ha pasado?

3. ● ¿Es fácil conseguir trabajo en España?

   ○ No, no ___~~cuesta~~ mucho___

4. ● Esta novela no la he ___encontrado___ tan interesante como esperaba.

5. ● La gente pedante me ___pone___ nervioso.   *poner nervoso a alg.*

6. ● El mes pasado hice unos exámenes y me ___salieron / fueron___ bastante bien.

7. ● Yo, por ejemplo, cuando ___me enfado___, me enfado.

8. ● Lo que más me gusta de ti ___es___ ___que___ tienes mucha paciencia.

Ya no ando con tonterías.

1.1.

Tomar –   *Tomé – Inm. Formal*

MODELO: mi tarjeta
Tomé, aquí tiene mi tarjeta.

1. mi tarjeta
2. mi número de teléfono
3. mi dirección particular
4. el teléfono de la oficina
5. la dirección del Sr. Lucas

1.2.

MODELO: ir en tren o en autocar.
¿Vd. qué cree que es mejor, ir en tren o en autocar? *(bus)*

1. ir en tren o en autocar
2. escribirle una carta o ir a verle
3. quedar en el centro o en su oficina
4. alquilar un apartamento o reservar una habitación en un hotel
5. llevarle unas flores o una botella de vino
6. ir con Pedro o yo solo

1.3.

MODELO: ir en tren o en autocar
No sé si ir en tren o en autocar.

1. ir en tren o en autocar
2. escribirle una carta o ir a verle
3. alquilar un apartamento o reservar una habitación en un hotel
4. llevarle unas flores o una botella de vino
5. ir con Pedro o yo solo

1.4.

MODELO: ir en coche
Yo que tú iría en coche.

1. ir en coche
2. mandar un telegrama   *mandaría*
3. ponerme el traje gris   *me pondría*
4. hacerlo mañana por la mañana   *lo haría*
5. hablar con el Sr. Ramírez   *hablaría*
6. salir después de cenar   *saldría*
7. llamar para saber qué pasa   *llamaría*

1. Lo que oyes

1.5.

MODELO: el viaje por Galicia
¿Qué tal os fue el viaje por Galicia?

1. el viaje por Galicia
2. las clases ayer   os fueron
3. el fin de semana en Andorra   os fue
4. el Congreso en Valencia   os fue
5. el curso en Inglaterra   os fue
6. las vacaciones   os fueron
7. la reunión del sábado   os fue .

1.6.

MODELO: nunca te enfadas
¿Cómo es que nunca te enfadas?

1. nunca te enfadas
2. no fuiste a casa de Ramón
3. hablas tan bien italiano
4. Pepe no te lo dijo a ti
5. es tan difícil encontrar piso en esta ciudad

1.7.

MODELO: ¡Qué paciencia tienes!
¿Yo? Tú sí que tienes paciencia.

1. ¡Qué paciencia tienes!
2. ¡Qué buen carácter tienes!
3. ¡Qué diplomático eres!
4. ¡Qué perezoso eres!
5. ¡Qué antipático eres!
6. ¡Qué mal genio tienes!   bad temper

1.8.

Escucha y repite:
1. ¿Tú crees?
2. No creas)
3. ¡Así es la vida! ¡Qué le vamos a hacer!
4. Si me necesita, ya sabe donde encontrarme.
5. No sé que tal me irá.
6. Yo, cuando me enfado, me enfado.
7. A mí, cuando alguien me cae mal, me cae mal.

1.9.

Escucha y repite:
1. Pues, sinceramente, no ha sido tan interesante como esperaba.

2. Pues, sinceramente, no me ha parecido tan divertido como esperaba.
3. Pues, sinceramente, no me ha ido tan bien como creía.
4. Pues, sinceramente, no la he encontrado tan buena como pensaba.

1.10.

Coloca cada palabra en la columna adecuada según el acento:

	___ ___ ___ ↙	___ ___ ↙ ___	___ ___ ↙
1.		complicado	
2.			
3.			
4.			
5.			
6.			
7.			
8.			
9.			
10.			

1.11.

Escucha los diálogos y contesta:

	Le pide consejo sobre	porque	Le aconseja	porque
1.				
2.				
3.				
4.				

1. Al pie de la letra

SI TODO VUELVE A COMENZAR

Quiero decirlo ahora
porque si no después las cosas se complican.

Soy peor todavía de lo que muchos creen.

Me gusta justamente el plato que otro come
aburro una tras otra mis camisas

me encantan los entierros y odio los recitales
duermo como una bestia
deseo que los muebles estén más de mil años en el
   mismo lugar
y aunque a escondidas uso tu cepillo de dientes
no quiero que te peines con mi peine
soy fuerte como un roble
pero me ando muriendo a cada rato
comprendo las cuestiones más difíciles

GUSTOS Y

Secretas aversiones, simpatías viscerales, atractivos irracionales, manías recalcitrantes. Ellos y

AMANCIO PRADA

ME GUSTA

La mujer satisfecha de serlo.

Prefiero una mujer que tenga más clara su profesión que su hombre.

Intelectual y apasionada, ambiciosa y profesional. Es muy importante el cuerpo de una mujer, pero también que cultive el *coco* y puedas tener una conversación con ella. Ambiciosa debe serlo en todos los sentidos, en el dominio intelectual y en el querer triunfar en la vida.

Bien arreglada, guapa, *sexy*, bien olorosa.

La mujer de un solo hombre. Me refiero a una fidelidad espontánea y natural. Por una posición de practicidad, creo que cuando vives una relación debes hacerlo intensamente, y cuando se acabe, se acabó.

La mujer capaz de criar a sus hijos con atino y alegría. El hijo no es imprescindible, pero sí un complemento importante. El ser madre es una función que requiere dedicación, cariño e inteligencia.

Físicamente, más bien morena y delgada, pero con «curvas peligrosas».

Dulce y educada, pero fuerte de carácter.

Que tenga algo de misterioso, de desconocido e imprevisto: aquello que me turba y que no tiene nombre ni mandamiento.

Me gustan Ingrid Bergman, Susana Pottecher, María Felix y tantas que no conozco...

NO ME GUSTA

La mujer que se queja. La que se cuelga del hombre. La que se siente realizada por y en su hombre.

No me gustan las feministas; me caen antipáticas tanto en la imagen como en los conceptos.

La mal organizada y que no se preocupa por ir guapa siempre.

La que no sabe estar sola y ensimismarse de vez en cuando.

La que está pensando en casarse.

La simplemente adoradora o aduladora de los valores femeninos o masculinos; o sea, que piensa en los hombres o en las mujeres y no en sí misma, y, por tanto, no tiene su mundo.

No soporto la pregunta «¿en qué estás pensando?», porque existe un afán de estar presenciando y sabiendo constantemente lo que el otro está maquinando.

un afán – desire

emphasis

Un *gallego* que nació en El Bierzo (León), contradictorio también en su personalidad –mitad hogareña, mitad bohemia– y que hace hincapié en que su profesión no es la de cantautor, como se le calificaba antaño, sino la de músico, compositor, intérprete... Está casado, tiene 36 años, un hijo de dos y un nuevo disco a punto de salir.

y no sé resolver lo que en verdad me importa.

Así puedo seguir hasta morirme:
ya ves soy lo que llaman
el clásico maníaco depresivo.
Te explico estas cuestiones
porque si todo vuelve a comenzar
no me hagas mucho caso acuérdate.

José Agustín GOYTISOLO

DISGUSTOS

ellas tienen sus gustos y criterios, sus puntos flacos y exigencias. Los populares hablan ¡por gusto!

ME GUSTA

No es una cuestión de belleza ni de físico ni de nada; esa es una cosa que el ser humano no ha descubierto todavía. De repente entra un gnomo, lo encuentras maravilloso y creas un mito alrededor de este señor que a lo mejor no lo merece, pero de repente ha funcionado... Ahí es donde sale nuestra parte animalesca, que está dormida, pero no tan dormida.

Siempre defiendo al hombre, siempre lo encuentro maravilloso, sobre todo cuando encuentro a uno de estos caballeros, que quedan muy pocos, que me hacen sentirme mujer a su lado. Me parece que es justo; yo no quiero conquistar su sitio, quiero mi sitio de mujer. Me gusta, tenemos más ventajas y más poder que el hombre.

Me gusta que me abran las puertas y que me conquisten. Yo he vivido una época que me ha encantado. Si tuviera que vivir ésta, me parecería incómoda. No se puede decir «te quiero», no se puede dar una flor; todo es cursi.

A lo mejor porque he vivido en un ambiente artístico, me gusta el artista, me encanta una persona que tenga la imaginación creativa.

Me gusta que tengan un poco de todo: un poco de sentido del humor, un poco de agudez, un poco de inteligencia.

Que puedas mantener un diálogo. Yo procuro buscar amigos más inteligentes que yo, por lo menos aprendo algo.

Me gustan bien vestidos, clásicos o modernos y, sobre todo, de colores. Mis hijos dicen que soy una terrorista de la estética.

LUCÍA BOSÉ

Actriz hoy y siempre –«ésta es una de las cosas que no se dejan»–, Lucía Bosé no ha dejado tampoco una italiana indistinción entre eses, ces y zetas, ni la belleza que siempre la caracterizó. A sus 54 años, se ha iniciado en una nueva actividad artística: la moda, interpretada en clave de color. Cree que el mundo siempre ha sido un matriarcado...

NO ME GUSTA

Lo que no soporto en un hombre es la falta de sentido del humor: esa expresión cabreada, que no sabes lo que es. Tenemos tantas cosas horribles en la vida que, al menos, hay que desquitarse con algo de alegría, algo de sentido del humor. Yo creo que cuando perdemos esto, lo hemos perdido todo. Pesimistas, no me interesan: lo ataco muchísimo.

¿Y los tontos?, a esos habría que eliminarlos. Es la peor enfermedad del mundo, peor que el cáncer, es muy contagioso: donde hay un tonto, acaban todos tontos.

La mala educación es una de las cosas peores, y ahora está de moda. Yo creo que cuesta tan poco trabajo decir «por favor» o «gracias». Es un hecho cultural: si no hay cultura, no hay educación. Si «pasan» de eso, es porque son tontos, no quieren educarse.

La suciedad me horroriza. ¡Con todos los productos que existen hoy! Jabón y duchas no cuestan tanto.

No me gustan ni barba ni bigotes; me gusta el pelo normal, ni corte militar ni largo.

No me gusta la corbata, no entiendo cómo todavía no se la han quitado, dos siglos que llevan con un nudo al cuello: es su parte de cilicio. Parece que les guste ir por el mundo ahorcados.

FOTOS: ROBERT ROYAL

1. Al pie de la letra   *literally verbatim*

¿Tiene usted madera de jefe?

El mundo empresarial está siempre buscando gente con buenas cualidades de ejecutivo y, generalmente, no los encuentra.

Para empezar, la mayor parte de los trabajadores no reúne las cualidades necesarias. Además, muchas personas cualificadas no son lo suficientemente ambiciosas como para *asumir* esta responsabilidad adicional. Todo lo que quieren es hacer su trabajo, cobrar su paga y no preocuparse.   *middle management*

El resultado es que muchos puestos de ejecutivo *medio* son desempeñados por gente que no está en realidad cualificada, pero que, por lo menos, ha aceptado el intentar asumir esa responsabilidad extra (¿Les suena esto?: "En realidad, mi jefe no sirve. Yo sé mucho más que él, pero no quiero dolores de cabeza".)

A lo mejor, a usted le gustaría ascender en su empresa o en otro sitio. Si es así, responda a las preguntas siguientes y *comprue*be si tiene dentro a un jefe escondido (marque la respuesta *acertada*).

asumir

Carried out

Comy

1. ¿Le molesta cometer equivocaciones en su trabajo y, en consecuencia, lo comprueba usted cuidadosamente?

Sí □   No □   Sí y no □

2. ¿Le interesan a usted los diversos aspectos de las actividades de su empresa, incluso en temas no relacionados directamente con su trabajo?

Sí □   No □   Sí y no □

3. ¿Le piden a usted consejos sus compañeros de trabajo cuando no saben cómo resolver una situación *anómala*?

Sí □   No □   Sí y no □

4. ¿Le hace usted sugerencias a su superior sobre cómo resolver algún problema?

Sí □   No □   Sí y no □

5. ¿Le aprecian y respetan en general sus compañeros y superiores?

Sí □   No □   Sí y no □

6. ¿Ha abreviado usted voluntariamente alguna vez sus horas de las comidas porque había mucho trabajo y quería usted ayudar a terminarlo?

Sí □   No □   Sí y no □

7. Cuando no está usted muy ocupado, ¿se ofrece a ayudar a un compañero que tiene trabajo extra?

Sí □   No □   Sí y no □

8. ¿Se ha ofrecido usted alguna vez para una responsabilidad adicional, como parte regular de su trabajo, porque piensa que ello mejoraría la eficacia de su departamento?

Sí □   No □   Sí y no □

9. ¿Le han pedido alguna vez sus superiores su opinión o consejo sobre un problema relacionado con alguno o algunos de sus compañeros?

Sí □   No □   Sí y no □

10. ¿Es usted de los que no se dan de baja por enfermedad, a menos de estar realmente enfermo?

Sí □   No □   Sí y no □

11. ¿Le gusta a usted el tener que resolver un problema poco corriente cuando está trabajando?

Sí □   No □   Sí y no □

12. ¿Tiende usted a mantenerse ecuánime esos días en los que todo parece salir mal?

Sí □   No □   Sí y no □

13. Si encuentra usted en una publicación un artículo sobre su empresa, ¿lo lee?

Sí □   No □   Sí y no □

14. ¿Piensa usted que la calidad del trabajo realizado en su departamento es importante y que debe mantenerse en el alto nivel?

Sí □   No □   Sí y no □

15. ¿Almuerza usted frecuentemente con uno o más de sus compañeros?

Sí □   No □   Sí y no □

16. ¿Mantiene usted una relación social con alguno de sus compañeros fuera de las horas de trabajo?

Sí □   No □   Sí y no □

17. Si hay un compañero que está evadiendo responsabilidades y disminuyendo la eficacia de su departamento, ¿lo comentaría usted con él?

Sí □   No □   Sí y no □

18. ¿Se mantiene usted al corriente de en qué consiste el trabajo de uno o más de sus compañeros, de cara a poder sustituirle cuando sea necesario?

Sí □   No □   Sí y no □

19. ¿Domina usted el idioma lo suficiente como para poder escribir un informe fácilmente comprensible?

Sí □   No □   Sí y no □

20. ¿Le resulta fácil explicar a un nuevo empleado cómo y por qué se hacen las cosas en su departamento?

Sí □   No □   Sí y no □

21. ¿Tiene usted uno o más violines de Ingres?

Sí □   No □   Sí y no □

22. ¿Incluye su círculo de amistades a gente de orígenes diversos?

Sí □   No □   Sí y no □

23. ¿Es usted paciente con la gente de comprensión lenta, a fin de no hacerles sentirse estúpidos o incómodos?

Sí □   No □   Sí y no □

24. ¿Llega usted puntualmente a su trabajo?

Sí □   No □   Sí y no □

25. Cuando se proyecta un sistema nuevo en su trabajo y advierte usted un problema en potencia para su departamento, ¿llama usted la atención de sus superiores sobre ello?

Sí □   No □   Sí y no □

Puntuación

Sí y no = 2. Sí = 4. No = 0.

Si su puntuación de jefe en potencia es: *poner*

0-48: Usted está simplemente cumpliendo con su trabajo y cobrando su paga. Si no quiere quedarse en eso, es esencial que se vuelva usted a plantear su actitud en lo que respecta a su trabajo y a sus responsabilidades.

50-74: En este punto, usted muestra un potencial escondido para llegar a ser un buen jefe. Repase sus *noes* y vea en cuántos casos puede usted cambiar en el futuro su actitud o comportamientos en *síes*.

76 o más: ¡Hay un jefe agazapado en su interior! Usted posee las auténticas cualidades que hacen un buen jefe. A fin de utilizar en su ventaja este talento, empiece a buscar posiciones con más responsabilidad.

agazapar

2

YA ESTÁ BIEN, OIGA

1.1.

A. Marca con una x la respuesta correcta:

1. Hay mezclas de estilos porque:

   a) la construcción duró mucho tiempo.

   b) Santo Domingo lo decidió así.

   c) el Monasterio está a medio hacer.

2. La farmacia:

   a) es anterior al siglo XVIII.

   b) está como en el siglo XVIII.

   c) fue construida según los planos del siglo XVIII.

B. Lee los diálogos y señala:

1. ¿A quiénes les sorprende el claustro del monasterio?

2. ¿A quiénes no les interesa?

3. ¿A quiénes les gusta mucho el claustro?

1.2.

A. ¿Verdad o mentira?

	V	M
1. El supermercado está cerrado porque aún no son las ocho.	☐	☐
2. A lo mejor la ropa del señor estará para mañana.	☐	☐
3. Aún no son las nueve de la mañana.	☐	☐

B. Mira la imagen y di:

1. ¿Quién/es pide/n información?

2. ¿Quién/es protesta/n?

3. ¿Quién/es pide/n un servicio especial?

1.

Estás viajando por España y te encuentras en estas situaciones.
Lee el folleto para saber qué hacer:

Check/verify

1. Deseas comprobar el precio de la habitación que te han dicho en Recepción. ¿Dónde puedes hacerlo?

2. Viajas solo, llegas a un hotel y no quedan habitaciones individuales. ¿Cuánto te pueden cobrar por una doble?

3. Quieres una cama más en una habitación doble. ¿Cuánto te pueden cobrar?

"CONSEJOS ÚTILES PARA UN TURISTA EN ESPAÑA"

España dispone de más de 9.500 establecimientos hoteleros, distribuidos en ocho categorías: Hoteles de cinco, cuatro, tres, dos y una estrellas, y Hostales de tres, dos y una estrella.
Todos tienen a la entrada una placa que acredita su categoría, como las que reproducimos a continuación:

La entrada en todos ellos es libre ya que tienen la consideración de públicos. Pero recuerde, si viaja con su perro, que muy pocos son los que les admiten; infórmese antes en la Guía oficial de Hoteles de la Secretaría de Estado de Turismo.
Tiene usted a su disposición, en todos nuestros hoteles, unas hojas de reclamaciones, en las que podrá indicar cualquier anomalía que encuentre.
Si viaja solo y no encuentra habitación sencilla, puede ocupar una doble abonando *pagando* únicamente el 80% de su precio.
Cuando necesite una tercera cama en su habitación doble, solicítela en Recepción. El precio aumentará en un 35%.
Si tiene que abandonar el hotel, avíselo en recepción antes de las 12 horas del medio día. Así evitará que le facturen un día más.
Al entregarle *hand over* la llave de la habitación, deben comunicarle el precio de ésta; si desea comprobarlo, compárelo con los autorizados, que figuran en un cartel sellado, en la recepción y dentro de la habitación.
Si elige una Residencia sepa Vd. que no tiene servicio de comedor.
Cuando desee un hotel cerca del mar, solicítelo con la modalidad de "playa", ésta no podrá estar a más de 250 mts. de aquél.
Para el cliente de un hotel son gratuitos los siguientes servicios: la piscina, la playa, las hamacas, toldos, sillas y mobiliario propio de piscinas y jardines, las pistas de patinaje y los aparcamientos de vehículos.
Pero le podrán facturar con independencia del alojamiento por los siguientes servicios: peluquerías, campos de golf, tenis, frontón, bolera y equitación, telesquis y telesillas, salas de fiestas y discotecas, garaje o cualquier otro no comprendido en el apartado anterior.
Ud. no está obligado a dar "propina", aunque es una costumbre generalizada. Si usted efectúa una reserva, le pueden exigir el pago adelantado del importe de un día de habitación, por cada 10 o fracción.
Las anulaciones deberá realizarlas por lo menos siete días antes de la fecha reservada, en caso contrario el hotel le puede reclamar el pago del servicio no utilizado.
Los hoteles, sea cual sea su categoría, no le pueden exigir a usted que sujete su estancia al régimen de "pensión completa". No obstante, sí tiene Vd. derecho a exigir que le facturen por dicho régimen las estancias superiores a 48 horas, a partir de la fecha de ingreso.
Finalmente, si Vd. lo prefiere, puede utilizar la Red de Paradores del Estado, enclavados en lugares de interés artístico o pintoresco e instalados muchos de ellos en castillos, conventos y edificios antiguos, restaurados para cumplir este fin.

Y ahora busca información sobre estos temas que te interesan:

1. ¿En España es obligatorio dar propinas?

2. ¿Qué servicios están incluidos en el precio de la habitación?

3. ¿Te pueden obligar en un hotel a coger "pensión completa"?

4. ¿Qué servicios no están incluidos en el precio de la habitación?

5. ¿Con cuánto tiempo puedes anular una reserva?

2.

Lee este texto y contesta:

A. ¿Cuál es el itinerario recomendado?

destacar - stand out

La ruta de Don Quijote

La Mancha, tierra de molinos de viento, escenario real de un relato de ficción

Esta ruta, puede verse, en cierto modo, como una nueva lectura de Don Quijote de la Mancha a través de los lugares y escenarios donde Miguel de Cervantes centra la acción. Pero esta tierra, La Mancha, encierra suficientes valores propios que todo estudioso de lo español debe conocer en profundidad. Formada por la casi totalidad de la provincia de Ciudad Real, gran parte de la de Albacete y amplias zonas de las de Toledo y Cuenca, es una inmensa planicie de horizontes interminables en los que se pierde la vista sin adivinar la existencia de una sola montaña.

plain

La llanura mesetaria se ve salpicada por pequeños pueblos de rectangulares plazas y amplios soportales. Junto a los pueblos otro elemento característico de esta noble tierra: los molinos de viento.

El recorrido aquí propuesto se puede realizar en automóvil. Partiendo de Madrid por la carretera nacional IV en apenas hora y media se llega a Mota del Cuervo, pueblo arropado por la llamada sierra de los molinos donde se encuentran varios de estos gigantes contra los que gustaba luchar a Don Alonso de Quijano. Esta localidad, aparte del encanto manchego que desprende, posee una iglesia del siglo XIII y un antiguo convento Trinitario que hay que visitar. Desde este lugar existen dos alternativas para llegar al lugar de nacimiento de Dulcinea, la eterna amada de Don Quijote. Una de ellas consiste en retroceder hasta Quintanar de la Orden. La otra es cruzando Pedro Muñoz, localidad caracterizada por la calidad de los vinos por ellas producidos. Llegados a El Toboso, pueblo que conserva un indudable ambiente de época se debe visitar la casa que, según tradición, fue de Dulcinea. En ésta se ha instalado un interesante museo cervantino que cuenta, entre otras curiosidades, con distintas ediciones del Quijote en los diferentes idiomas que éste ha sido publicado.

Hay que desandar el camino y volver a pasar por Pedro Muñoz para llegar a Campo de Criptana. En este lugar algunos cervantistas sitúan el episodio de los molinos de viento. Es interesante también conocer la bella iglesia que posee esta localidad. Por la carretera, en dirección a

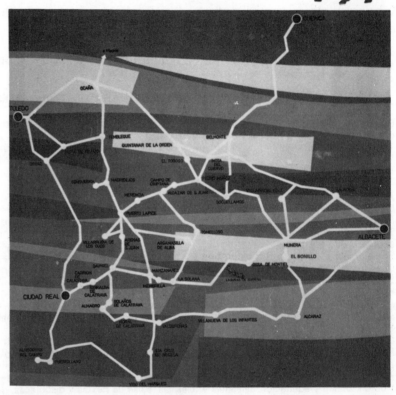

Puerto Lápice, en el corazón de Ciudad Real, se encuentra Alcázar de San Juan población en la que se pueden admirar una importante muestra de mosaicos romanos así como la hermosa iglesia de Santa María que data del siglo XIII. Dejando atrás Alcázar de San Juan se llega a Puerto Lápice. Este es el pueblo donde los cervantistas localizan la venta donde Don Quijote fue armado caballero.

Otro de los pueblos que hay que conocer es Daimiel. Este cuenta con una amplia plaza Mayor en el más tradicional estilo manchego y dos iglesias del siglo XV dignas de mención. Desde esta localidad estamos a dos pasos de Almagro villa que tiene fama en todo el mundo por las representaciones de teatro clásico que aquí se celebran. Las obras se ponen en escena en el Corral de la Comedia que ya se utilizaba en el siglo XIII. Almagro conserva, igualmente, la que fue sede de la conocida orden de Calatrava así como un convento dominico y dos parroquias, la de San Bartolomé y la de la Madre de Dios.

Desde Almagro hay que ir a Valdepe-

ñas ciudad famosa por la abundancia y calidad de los vinos. Aquí se encuentran unas bodegas que, por sus dimensiones, se denominan catedrales del vino.

Hacia el norte y tras cruzar Manzanares, centro vinícola de primer orden y que cuenta con un establecimiento de la Red Nacional de Paradores, se llega a Argamasilla de Alba, villa cuna del novelesco Alonso de Quijano y punto de partida de sus andanzas. En este pueblo, fin de camino, se percibe la presencia de Don Quijote tanto en sus calles, como en su paisaje. Aquí se guarda con cariño todo lo cervantino. Entre otros se puede destacar la llamada Cueva de Cervantes situada en la que fue Casa de Medrano. Igualmente, tiene interés la visita a la casa del Bachiller Sansón Carrasco y la iglesia parroquial, donde se conserva un cuadro exvoto de don Rodrigo Pacheco que, según dicen, sirvió de modelo a Cervantes en la creación del protagonista de su inmortal obra.

Rafael CALVETE

Retrace ones steps

B. ¿Con qué ciudades o pueblos relacionas estos temas?

1. Allí se concentran varios molinos de viento. _Mota de Cuervo._

2. Lugar de nacimiento de Dulcinea. _El Toboso._

Vineyard
3. Zona donde hay gran cantidad de viñedos. _Valdepeñas_

4. Lugar donde parece situarse el episodio de los molinos de viento. _Campo de Criptana_

5. Lugar donde Don Quijote fue armado caballero. _Puerto Lapice._

6. Pueblos donde se representan obras de teatro clásico. _Almagro._

7. Ciudad que se destaca por la calidad de sus vinos y por el gran tamaño de sus bodegas. _____
Valdepeñas

8. Lugar de nacimiento del Quijote. _Argamasilla de Alba._

3.

Lee este texto:

Suiza ofrece esto a la vista: aldeas limpias, repintadas, campanarios góticos, torres de aire bizantino con cúpulas en forma de cebolla, casas cuidadas, tabernas y posadas con pinturas alegóricas; el cartero atildado como si fuera un oficial del ejército, y, los domingos, aldeanos, con aire de teatro, marchando al tiro al blanco con una escopeta y una pluma o un manojito de hierbas en el sombrero. shotgun.

El campo de Suiza es la consecuencia de una vida ordenada de trabajo y de paz.

— Nosotros no tenemos eso —decía Laura.

— Yo supongo que el recuerdo de las antiguas guerras debe quedar constantemente en la tierra española —decía Golowin.

— Sí, quizá por eso nuestro campo es dramático y triste.

— Es la psicología de la guerra; en cambio, aquí la gente vive la psicología de la paz en bueno y en malo. Acá la gente tiene pocas necesidades espirituales. A orillas de un lago de éstos no se piensa más que en comer, en nadar y en remar.

Laura recordaba que ella había creído durante mucho tiempo que vivir dentro de un paisaje bonito ya debía bastar para hacer a una persona feliz. Sin duda no era cierto.

— ¿A ti te gusta esto de veras? —le preguntó Natalia una vez, con una intuición y perspicacia extrañas.

— No cabe duda que es muy bonito.

— Pues a mí no me gusta y yo creo que a ti no te debe gustar.

— Evidentemente, no es dramático —replicó Laura, y añadió—: Quizá influya en esto la idea del turismo, la impresión que da de fotografía de colores. Parece también que en quince días se puede estar habituado a un paisaje así y que ya no produzca curiosidad alguna.

— ¿Y los campos de España? —le preguntó Natalia.

— Los de Castilla parece que siempre emocionan.

Laura, **P. Baroja**

2.

A. ¿Cómo ven los personajes del texto los campos de Suiza y de España? Distribuye las frases en las cajas que correspondan:

- los pueblos se ven limpios
- los días de fiesta la gente se viste de una manera especial
- nos hace pensar aún en la guerra
- parece una postal en colores
- es el resultado de vivir desde hace mucho tiempo sin guerras
- triste
- dramático
- emociona
- quizás al cabo de un tiempo no despierta curiosidad

Campo suizo

Campo español

B. ¿Verdad o mentira?

	V	M
1. Para Laura vivir dentro de un paisaje bonito es suficiente para hacer a una persona feliz.	☐	☐
2. Al lado de un lago suizo no se piensa en comer, en nadar, en remar.	☐	☐
3. A Natalia no le gusta el campo suizo.	☐	☐
4. Laura dice que cuando uno ve un campo suizo parece no ser real, sino una fotografía.	☐	☐

4.

Necesitas una cosa o un servicio para un momento determinado. Deja una nota a tu compañero/a:

zapatos/esta tarde

> Por favor:
> ¿Podrías recoger mis zapatos?
> los necesito para esta tarde.
> Están en el zapatero de la
> esquina. Gracias
> Marilú

(dos)

1. prestar el jersey azul/el domingo
2. llamar a la agencia de viajes/cuanto antes
3. diccionario de español/el fin de semana
4. comprar café/hoy
5. dejar el coche/la semana que viene

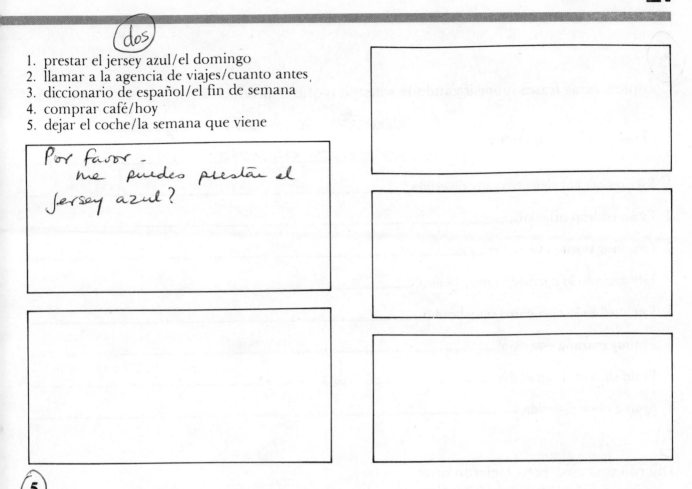

Por favor –
  me puedes prestar el
jersey azul?

5.

Te has comprado un jersey en unos grandes almacenes; al llegar a casa te das cuenta de que una manga es más larga que la otra. No encuentras el comprobante de la compra. Vas a cambiarlo esa misma tarde pero no te lo aceptan sin la factura. El jersey tiene la marca de los almacenes, pero dicen que lo has comprado hace mucho tiempo y, claro..., cambiarlo ahora es imposible.
Vuelves a casa enfadado/a y con el mismo jersey.
Escribe una carta de protesta a una revista o a un periódico, explicando tu historia.
Lee la carta "Tintorerías irresponsables", te puede servir de modelo:

TINTORERÍAS IRRESPONSABLES

Sr. Director:
Quiero destacar la absoluta indefensión en la que estamos todos los ciudadanos ante los posibles errores en las tintorerías.
Llevé el año pasado tres anoraks para limpiar a la tintorería Lucano de Barcelona (uno de ellos nuevo y muy caro). Según testimonio de la empleada que los manipuló, se equivocaron en el tratamiento y quedaron manchados de amarillo para siempre.

Hablé posteriormente con el dueño, el cual, con toda su desfachatez, me quiso hacer creer que ya los había llevado yo mojados a la tintorería y esto era la causa de tales manchas, desautorizando así lo que había dicho la persona que manipuló los anoraks, que lógicamente era la que sabía lo que había pasado. No sólo no me indemnizó por los daños causados, sino que tuve que pagar 1.200 ptas. para poder llevármelos.
El siguiente paso fue llevar los anoraks al Gremio de Tintoreros. Allí se quedaron con ellos y elabo-

raron un informe ratificando lo que el dueño de la tintorería había dicho. Luego me enteré por una empleada del gremio de que el informe lo había elaborado el mismo dueño. ¡Menuda imparcialidad!
El siguiente paso fue presentar una denuncia al Servicio de Defensa del Consumidor de la Generalitat de Catalunya. Hace de ello 9 meses y aún no me han dicho nada.

**Francisco Javier Oton Bullich
Barcelona**

2.

6.

Completa estas frases intensificando la sensación que te produce algo:

Es un cuadro muy bonito. *lo encuentro realmente muy bonito.*
lo encuentro precioso.

1. Esta revista la encuentro muy divertida. _____

2. Es un edificio original. _____

3. Está muy bueno este pollo. _____

4. Este artículo lo encuentro muy bueno. _____

5. Este pueblo lo encuentro muy bonito. _____

6. Es muy extraña esta casa. _____

7. Es un sitio muy agradable. _____

8. Es una obra aburrida. _____

7.

Dijeron una cosa pero hicieron otra:

Angela te dijo: "No iré a la fiesta de Jaime".
Tú vas a la fiesta y la ves allí.

Pero si *tú me dijiste que no vendrías a la fiesta.*

1. La secretaria del Sr. Díez: "El Sr. Díez está de viaje.".
   Te vas de la oficina y lo encuentras en el ascensor.

   Pero si _____

2. Roque te dijo: "La ópera no me gusta nada.".
   Tú vas al Teatro Real y lo ves al terminar la función.

   Pero si _____

3. Adriana y Matías te dijeron: "No podremos ir al cine el jueves, tenemos mucho trabajo".
   Tú vas al cine y los encuentras.

   Pero si _____

4. Tu hermano te dijo: "La cena de mañana es informal, puedes ir con tejanos".
   Tú llegas a la cena y la gente va muy bien vestida.

   Pero si _____

5. Un amigo te dijo: "Seguro que estarán en casa, no es necesario llamar antes de ir".
   Llegáis y no hay nadie en casa.

   Pero si _____

6. El vendedor te dijo: "No tendrá ningún problema para cambiarlo".
   Vas al día siguiente y no te lo quiere cambiar.

   Pero si _____

7. El Sr. Frutos te dijo: "Mañana terminaré el informe y el jueves lo tendrán en Bilbao".
   Hoy es jueves y el informe no está aún terminado.

   Pero si _____

8. Juanjo y Pepe te dijeron: "Nosotros llevaremos el vino y tú lleva los postres".
   No traen el vino.

   Pero si _____

8.

Completa estas protestas:

1. ● ¡Todavía no han abierto el bar! No puede ser que aún (ESTAR) _____cerrado.

2. ● Dijo que vendría a las 9h. No puede ser que todavía no (LLEGAR) _____.

3. ● ¿Ya has llamado a tus padres?
   ○ No, todavía no.
   ● No puede ser que aún no los (LLAMAR) _____.

4. ● Por favor, ¿el Sr. Andrés?
   ○ No está, ya ha salido.
   ● No puede ser que (SALIR) _____. Ya está bien.

5. ● Oiga, no hay agua caliente en mi habitación. No puede ser que en un hotel de cuatro estrellas no

   (HABER) _____agua caliente.

6. ● ¡Señorita! ¡No puede ser que nadie (SABER) _____a qué hora llega el avión de Bruselas!

7. ● He reservado una habitación individual. No puede ser que (TENER) _____que
   dormir con otra persona.

9.

Construye frases según el modelo:

A Enrique/encantar/visitar museos.

A Enrique le encanta visitar museos.

2.

1. A mí/entusiasmar/el cine japonés

2. ¿A usted/gustar/los toros?

3. A mí/no decir nada/este tipo de teatro

4. ¿A vosotros/no gustar/pasear de noche?

5. A ellos/encantar/vivir en Méjico

6. A mí/este tipo de música/producir una sensación de serenidad

7. A nosotros/entusiasmar/Dalí

8. ¿A ti/gustar/los escritores latinoamericanos?

10.

una carta para corregir

Llegaste hace unos días a una ciudad española y estás buscando piso.
Ahora le escribes una carta a un amigo español que vive en tu país, y le explicas...

... ayer vi uno que me gustó, pero es demasiado caro...

- cerca estación de metro
- varias líneas de autobuses
- ático, terraza, 3 dormitorios
- amueblado
- parque a 500 metros
- instalaciones deportivas en el edificio

... en realidad, lo que busco es un piso que ...

- bien comunicado
- tranquilo
- menos de 40.000 - pts/mes
- calefacción
- dar a la calle
- ...
- ...
- ...

Completa estas frases:

1. ● ¡Qué bien se conserva esta iglesia! ¿Verdad?

    ○ Sí, pero aquí pone que el campanario ____ reconstruyeron a principios de siglo.

2. ● ¿Alquilan ustedes equipos de tenis y tiendas de campaña?

    ○ Sí, tiendas de campaña, sí, pero los equipos ____ alquilan en aquella tienda de deportes.

3. ● Oye, ¿podríamos llevarle esto de recuerdo a la familia?

    ○ De acuerdo, pero ____ compras tú, que me he quedado sin dinero.

4. ● Mire, le dejo estas alfombras y estos vestidos. ¿Podría tenérmelo para mañana?

    ○ Los vestidos ____ tendré seguro, pero las alfombras, no.

5. ● ¿Qué tal está?

    ○ ¿La paella? No ____ he probado todavía.

6. ● Eso de allí son "las Meninas" de Goya.

    ○ Oye, que "las Meninas" ____ pintó Velázquez.

7. ● ¡Qué curioso! Nunca había estado en una fiesta así.

    ○ Huy, pues en Andalucía fiestas de este tipo ____ verás por todas partes.

Completa con una palabra en cada espacio:

1. Esto es un desastre. En esta oficina solo abren por las tardes. _____ que abrir también por las mañanas.

2. Me dijeron que el televisor _____ arreglado hoy pero he ido a buscarlo y no estaba.

3. No puede ser que siempre _____ tan tarde.

4. Allí pasa algo, fíjate _____ humo y _____ gente.

5. ¿Has visto _____ vestido _____ original lleva esa señora.

6. Este tipo de canciones _____ _____ _____ nada.

7. Cuando pasa _____ _____, te dan ganas de llorar.

8. Es una música genial ¿A ti no te _____ ?

2. Lo que oyes

2.1.

MODELO: sitio/impresionante
Es un sitio realmente impresionante.

1. sitio/impresionante
2. exposición/original
3. lugar/agradable
4. paisaje/magnífico
5. restaurante/bueno
6. novela/genial
7. película/increíble

2.2.

MODELO: edificio/raro
¿Has visto lo raro que es ese edificio?

1. edificio/raro
2. gente/extraña
3. tienda/bonita
4. ropa/original
5. fotos/divertidas

2.3.

MODELO: edificio/raro
Mira qué edificio más raro.

1. edificio/raro
2. gente/extraña
3. tienda/bonita
4. ropa/original
5. fotos/divertidas

2.4.

Repite:

1. Es una preciosidad, ¿no?
2. Es una birria, ¿no?
3. Es una maravilla, ¿no?
4. Es una porquería, ¿no?
5. Es un desastre, ¿no?

2.5.

MODELO: ese edificio de la derecha
Fíjate en ese edificio de la derecha.

1. ese edificio de la derecha
2. aquel chico de ahí
3. esa parte del edificio
4. esa planta tan grande

5. ese mueble del fondo
6. ese perro

2.6.

MODELO: unos pantalones/para mañana
¿Podrían tenérmelos para mañana?

1. unos pantalones/para mañana
2. unas fotos/cuanto antes
3. unos zapatos/para el lunes
4. una moto/para las tres
5. un vestido/esta tarde

2.7.

MODELO: me encanta
A ti no sé pero a mí me encanta.

1. me encanta
2. me parece horrible
3. me gusta mucho
4. me entusiasma
5. no me gusta nada

2.8.

MODELO: fabuloso
Tú no sé pero yo lo encuentro fabuloso.

1. fabuloso
2. fantásticas
3. estupenda
4. muy originales
5. genial
6. preciosos

2.9.

MODELO: el garaje
Eso de ahí es el garaje.

1. el garaje
2. el Ayuntamiento
3. la estación
4. la biblioteca
5. un bar muy agradable
6. una pastelería muy buena

2.10.

Repite:

1. No hay derecho, oiga.
2. ¡Qué buena idea habéis tenido!
3. ¡Nunca había visto algo así!

4. ¿Arreglan neumáticos?
5. Ya está bien.
6. ¡Qué curioso!
7. Esto es un desastre.
8. No puede ser.

2.11.

> MODELO: haber salido a dar una vuelta
> ¡Qué bien haber salido a dar una vuelta!

1. haber salido a dar una vuelta
2. haber cogido este tren
3. haber encontrado habitaciones
4. haber traído el paraguas
5. haber terminado tan pronto
6. habernos quedado a dormir aquí
7. haberte encontrado
8. haber reservado una mesa

2.12.

> MODELO: abren a las 9 h./está cerrado
> ¿Verdad que abren a las 9 h.? Pues está cerrado.

1. abren a las 9 h./está cerrado
2. dijo que vendría/no ha venido
3. dijeron que hoy estaría arreglado/no lo está
4. nos aseguró que encontraría una solución/no ha hecho nada
5. dijo que lo haría ayer mismo/no ha empezado todavía

2.13.

> MODELO: cuadro/precioso
> Este cuadro lo encuentro precioso, ¿tú no?

1. cuadro/precioso
2. sillas/muy incómodas
3. lugar/extraordinario
4. novelista/genial
5. actor/increíble
6. claustro/magnífico
7. discos/fabulosos
8. apartamento/estupendo

2.14.

> MODELO: libros/me entusiasman
> Este tipo de libros me entusiasman.

1. libros/me entusiasman
2. películas/me encantan
3. conferencias/me interesan mucho
4. música/no me dice nada
5. discusiones/no me interesan nada

2.15.

MODELO: ¿No te gusta?
me encanta
¿Gustarme? ¡Me encanta!

1. ¿No te gusta?
me encanta
2. ¿No lo encuentras bonito?
precioso
3. Es malo, ¿no?
malísimo
4. Es un disco muy bueno, ¿no crees?
genial
5. Es una casa bastante fea, ¿verdad?
horrible

2.16.

MODELO: una habitación/no dar a la calle
Quiero una habitación pero que no dé a la calle.

1. una habitación/no dar a la calle
2. un bistec/estar muy poco hecho
3. un cocktail/no ser muy fuerte
4. un cortado/no estar muy caliente
5. alquilar una casa de campo/no ser muy cara

2.17.

Coloca cada palabra en la columna adecuada según el acento:

	__ ✔ __ __	___ ✔ _ __	_____ ✔ _
1.			capitel
2.			
3.			
4.			
5.			
6.			
7.			
8.			
9.			
10.			

2.18.

Escucha y contesta por escrito:

1.	El concierto	
2.	El paisaje	
3.	La novela	
4.	La discoteca	
5.	El fin de semana	le/s parece
6.	El perro	
7.	La casa	
8.	El artículo	
9.	El programa	
10.	La plaza	

LOS PELEGRINITOS

Hacia Roma caminan
dos pelegrinos,
a que los case el Papa,
porque son primos.

Sombrerito de hule
lleva el mozuelo,
y la pelegrinita
de terciopelo.

Al pasar por el puente
de la Victoria,
tropezó la madrina,
cayó la novia.

Han llegado a Palacio,
suben arriba,
y en la sala del Papa
los examinan.

Le ha preguntado el Papa
cómo se llaman.
El le dice que Pedro
y ella que Ana.

Le ha preguntado el Papa
que qué edad tienen.
Ella dice que quince
y él diez y siete.

Le ha preguntado el Papa
de dónde eran.
Ella dice de Cabra
y él de Antequera.

Le ha preguntado el Papa
que si han pecado.
El le dice que un beso
que le había dado.

Y la pelegrinita,
que es vergonzosa,
se le ha puesto la cara
como una rosa.

Y ha respondido el Papa
desde su cuarto:
¡Quién fuera pelegrino
para otro tanto!

Las campanas de Roma
ya repicaron
porque los pelegrinos
ya se casaron.

Federico García Lorca

Pamplona disfruta su semana de festín y jolgorio

Suecos, norteamericanos y alemanes se han integrado plenamente en los encierros

A pocas horas de que **Iñaki Beorlegui,** concejal del Ayuntamiento de Pamplona por Herri Batasuna, prendiera la mecha del cohete que abría las fiestas, el esperado *chupinazo,* la ciudad se puso en ebullición. El vallado del encierro está que explota, los feriantes ya tienen sus atracciones, empiezan a verse extranjeros y las peñas dejan ver sus pancartas que pasearán por las calles.

El carácter casi familiar de los sanfermines empezó a desvirtuarse, además de por el lógico crecimiento de la ciudad, por la publicación en 1927 de la novela de **Ernest Hemingway** *—don Ernesto* para los castizos— *The sun also Rises,* en la que se ensalzaba las fiestas. A esta masificación también ha contribuido la Administración del Estado, al declararlas de interés turístico nacional primero y ampliándola hace cinco años al ámbito internacional.

Por las calles de Pamplona ya se ven pantalones cortos, cabellos rubios y pieles no acostumbradas al sol. Son grupos de extranjeros que se han integrado plenamente en las fiestas. Los más señalados son los suecos de la peña Lüd, los alemanes de Borussia y los norteamericanos que tienen su control de operaciones en el hotel Maissounave. Norteamericanos son, precisamente, algunos de los más celebrados corredores del encierro y ha habido entre ellos, como ocurrió el año pasado con un *marine,* quienes ya han dejado sangre por las calles del encierro.

Este año, los sanfermines se presentan más abiertos al exterior que nunca. Trece cadenas de televisión de diecisiete países se han acreditado para realizar su trabajo y llevar cumplida información a sus respectivos telespectadores. Las autoridades tiemblan ante la avalancha de visitantes, y la población de la ciudad, alrededor de 183.000 habitantes, se triplica durante estos días, sobre todo los dos fines de semana.

Prohibido aburrirse

La afluencia masiva de corredores para participar en los encierros hace inútiles los intentos por hacer una carrera más segura. Todos coinciden en señalar que se han adoptado todas las medidas de seguridad posibles, incluso se han picado los adoquines para evitar los resbalones de los toros en aquellas zonas. Desde el Ayuntamiento llueven consejos y, como mal menor, se ha extendido un seguro para todo aquel que corra: cuatro millones de pesetas en caso de muerte y dos millones si el mozo resulta incapacitado.

Del 7 al 14 de julio, las peñas se adueñan de las calles, en donde se vive de verdad la fiesta. Los sanfermines no tienen sentido entre cuatro paredes, la iniciativa y la espontaneidad se encuentran al doblar la esquina.

En la calle se bebe, se baila y se vive; la casa queda para dormir —más bien poco— y cambiarse de ropa.

Día del Marido Suelto

Se rechaza tajantemente la represión en todos los sentidos. Unos se acuerdan de los que faltan, mientras otros se olvidan de los que tienen. Entre aquellos a los que sucede esto último merece destacarse la celebración del *Dimasu* (Día del Marido Suelto) por parte de la peña Anaitasuna. A las feministas, y no sólo a ellas, este acto les parece descabellado. Pero ahí está. Son las reminiscencias de los Sanfermines de antes, concebidos para los hombres, aquellos Sanfermines en los que los novios se despedían afectuosamente de sus chicas el 6 de julio para volver a su regazo, como mansos corderos, el día 15.

Algo han cambiado las cosas ahora y las fiestas están abiertas para todo aquel que quiera vivirlas plenamente, incluyendo a las mujeres.

Un año más, la segunda semana de julio, Pamplona revive y recuerda a todo el mundo que la Fiesta, con mayúsculas, está al alcance de todos.

Antonio Conesa
(Pamplona)
TIEMPO

2. Al pie de la letra

A FAVOR Y EN CONTRA

...he reunido en este capítulo, dejándome llevar por el azar de la pluma, que es un azar como otro cualquiera, cierto número de mis aversiones y mis simpatías. Aconsejo a todo el mundo que haga lo mismo algún día.

He adorado los Recuerdos entomológicos de Fabre. Durante mucho tiempo dije que solamente me llevaría ese libro a una isla desierta. Hoy he cambiado de opinión: no me llevaría ningún libro.

Me gusta comer temprano, acostarme y levantarme pronto. En eso soy completamente antiespañol.

Me gusta el Norte, el frío y la lluvia. En eso soy español. Nacido en un país árido, no imagino nada más bello que los bosques inmensos y húmedos, invadidos por la niebla.

Me gusta el ruido de la lluvia. Lo recuerdo como uno de los ruidos más bellos del mundo. Ahora lo oigo con un aparato, pero no es el mismo ruido.

Me gusta verdaderamente el frío...

Adoro los relatos de viajes por España escritos por viajeros ingleses y franceses en los siglos XVIII y XIX. Y ya que estamos en España, me gusta la novela picaresca, especialmente El Lazarillo de Tormes, el Buscón, de Quevedo, y Gil Blas.

No me gustan mucho los ciegos, como a la mayoría de los sordos...

Todavía me pregunto si, como se dice, los ciegos son más felices que los sordos. No lo creo.

Me gustan el arte románico y el gótico, en particular las catedrales de Segovia, la de Toledo, iglesias que son todo un mundo viviente.

Me gustan los claustros, con una ternura especial para el claustro de El Paular. De todos los lugares entrañables que he conocido, éste es uno de los que más íntimamente me llegan.

Cuando trabajábamos en El Paular con Carrière, casi todos los días, a las cinco, íbamos a meditar allí. Es un claustro gótico bastante grande. No se halla rodeado de columnas, sino de edificaciones idénticas que ofrecen altas ventanas ojivales cerradas con viejos postigos de madera... Allí hay un silencio de épocas pasadas.

Me gusta la puntualidad. A decir verdad, es una manía. No recuerdo haber llegado tarde ni una sola vez en mi vida. Si llego con anticipación, me quedo paseando ante la puerta a la que debo llamar hasta que sea la hora exacta.

Me gustan y no me gustan las arañas. Se trata de una manía que comparto con mis hermanos y mis hermanas. Atracción y repulsión a la vez...

Adoro los bares, el alcohol y el tabaco, pero se trata de un terreno tan primordial que le he consagrado todo un capítulo.

Siento horror a las multitudes. Llamo multitud a toda reunión de más de seis personas. En cuanto a las inmensas concentraciones de seres humanos —recuerdo una famosa fotografía de Weegee mostrando la playa de Coney Island en un domingo—, son para mí un verdadero misterio que me inspira terror.

Me gustan los obreros, admiro y envidio su habilidad.

Me gustan los bastones-espada. Poseo media docena de ellos. Cuando voy paseando, me dan sensación de seguridad.

No me gustan las estadísticas. Es una de las plagas de nuestra época. Imposible leer una página de periódico sin encontrar una. Además, todas son falsas. Puedo asegurarlo. Tampoco me gustan las siglas, otra manía contemporánea, principalmente norteamericana. No se encuentra ninguna sigla en los textos del siglo XIX.

Me horrorizan ciertas fachadas de cines, particularmente en España. Son horriblemente exhibicionistas a veces. Eso me avergüenza, y aprieto el paso.

Adoro los disfraces, y eso desde mi infancia.

Me gustan la irregularidad y los lugares que conozco. Cuando voy a Toledo o a Segovia, sigo siempre el mismo itinerario. Me detengo en los mismos sitios, miro, como las mismas cosas. Cuando me ofrecen un viaje a un país lejano, a Nueva Delhi, por ejemplo, rehúso siempre diciendo: "¿Y qué hago yo en Nueva Delhi a las tres de la tarde?"

No me gustan los poseedores de la verdad, quienesquiera que sean. Me aburren y me dan miedo. Yo soy antifanático (fanáticamente).

Amo la soledad, a condición de que un amigo venga a hablarme de ella de vez en cuando.

Detesto la publicidad y hago todo lo posible por evitarla. La sociedad en que vivimos es enteramente publicitaria.

No me gusta la política. En este terreno, me encuentro libre de ilusiones desde hace cuarenta años. Ya no creo en ella. Hace dos o tres años, me llamó la atención este slogan, paseado por unos manifestantes de izquierdas en las calles de Madrid: "Contra Franco estábamos mejor."

Luis Buñuel, *Mi último suspiro*

3

PUES UNA VEZ...

3.

1.1.

A. ¿Verdad o mentira?

	V	M	Dudoso
1. Están mirando una diapositiva del lago Encina.	☐	☐	☐
2. En el lago Enol comieron chorizo.	☐	☐	☐
3. Encarna es la que está sobre el puente.	☐	☐	☐
4. Durmieron en un sitio muy bonito un día que por la noche hubo una tormenta.	☐	☐	☐

B. Mira la imagen e identifica a:

1. Los que aún no han ido de vacaciones.

2. Los que no pudieron tomar vacaciones.

3. Los que se fueron de vacaciones con otra pareja.

4. Los que pasaron una parte de las vacaciones con la familia.

1.2.

Responde:

1. ¿Cómo se conocieron? _____

2. ¿Qué hacían juntos en Madrid? _____

3. ¿Qué tal se llevaban? _____

4. ¿Dónde se vieron por primera vez? _____

5. ¿Qué pasó el día que Paco fue a Bilbao? _____

6. ¿Cuánto tiempo estuvieron sin verse? _____

7. ¿Cúanto tiempo llevan viviendo juntos en Granada? _____

1.

Hace unos días te hablaron de la región de Covadonga y después leíste este artículo. ¿Podrías contestar a las preguntas que te hace un amigo que está interesado en visitar esa zona?

1. ¿Desde dónde se puede llegar al parque?

_____

_____

2. ¿De Covadonga a los lagos Enol y La Ercina cuántos kilómetros hay?

_____

_____

_____

3. ¿Qué camino es mejor?

_____

_____

_____

4. ¿Se ven muchos animales todavía?

_____

_____

_____

5. ¿Tiene algún interés histórico esta región? _____

_____

* El lago Encina también se llama La Ercina

RUTA 4

Covadonga: Lagos e historia

ES el decano de los parques nacionales (data de 1918) y la región es cuna de la Reconquista iniciada por don Pelayo hace más de doce siglos, y la primera capital de la España cristiana. Cangas de Onís es el mejor punto de partida para acceder al parque. Desde la basílica, y pequeña población de Covadonga, restan unos dieciocho kilómetros hasta llegar a los lagos Enol y La Ercina, por una carretera de cornisa peligrosa, pero transitable. De todos modos, es el único acceso por carretera.

Los paseos a pie que se pueden realizar son numerosos. Hay quienes se atreven a subir bordeando la carretera hasta los lagos. Pero también es posible ir desde el puerto del Pontón a través del de Panderrueda y la posada de Valdeón. La vega de Vegabaño se puede alcanzar desde el Soto de Sajambre, por senderos visibles. Otros itinerarios posibles son: de Soto de Sajambre a Amieva, de Espirama a Santa Marina de Valdeón, de Enol a Vega del Huerto, de Collada de Valles a Bufarrera y de allí a Cabrales y de allí a Camarmeña y Poncebos, en Cabrales.

Rebecos, corzos, gamos, ciervos, jabalíes, lobos, osos, zorros, gatos monteses, tejones, ardillas y urogallos forman parte de la fauna del parque, algunos de ellos muy difíciles de observar por el turista debido a que ciertas especies están al borde de la extinción.

Alojamiento: Junto al lago La Ercina hay un refugio de montaña bien acondicionado. En todos los pueblos de las cercanías existen hoteles, hostales y posadas. Para comer, el hotel Pelayo, en Covadonga, es recomendable.

Informaciones más puntuales pueden recabarse en el Icona de Oviedo. Teléfono (985) 22 27 49.

3.

2.

Conoces algunas canciones de Aute y, por eso, has leído este artículo. ¿Podrías contestar a alguien que no sabe quién es Aute y te hace estas preguntas?

LUIS EDUARDO AUTE

La erótica del escenario

Poeta y pintor, ha sido durante años el cantante minoritario de mayor prestigio en España. Comenzó a grabar en 1968, casi al mismo tiempo que los estudiantes parisienses ponían patas arriba la tranquila placidez de las aguas del Sena y de los sabios adoquines de Montmartre. Tiene 13 discos grabados, ha publicado varios libros de poesía y realizado más de una docena de exposiciones de pintura, además de interesarse por el cine como director de cortos, ayudante de dirección y compositor de bandas sonoras. Desde 1983 se ha convertido en uno de los mayores vendedores de discos en España.

Texto: Antonio Gómez
Fotos: Raúl Cancio

Luis Eduardo Aute tiene un aire entre tímido y provocador, entre desvalido y seductor que es, sin duda, una de las razones de su éxito, aunque no, por supuesto, la única ni la más importante. Habla en voz baja, meditando mucho lo que dice, dando vueltas alrededor de una frase o un concepto hasta expresar la idea exacta. Lleva, como es habitual en él, barba de una docena de días, y comenta esa gira loca que han supuesto los meses veraniegos.

Luis Eduardo Aute nació en Filipinas, hijo de españoles, en un país que es cruce y frontera de culturas. Su infancia estuvo marcada por tres idiomas que se cruzaban en su formación: el inglés, con el que estudiaba en el colegio; el español, que hablaba en casa, y el tagalo, con el que peleaba en la calle.

"Yo no era muy comunicativo, y además vivía en un contexto que culturalmente era muy distinto al que existía en casa. Culturalmente no había nada en Filipinas, sólo cine. Ni conciertos ni exposiciones ni teatro, y apenas otros libros que los recibidos de España, que devoraba con voracidad".

Cuando llegó a España, a los 11 años de edad, se encontró una patria desconocida y lejana que conectaba mal con la educación recibida en Filipinas, en la que le costó trabajo entender y hacerse entender en un colegio en el que tuvo que reemprender unos estudios en un idioma distinto al que había utilizado hasta ese momento para aprender. Una España deseada o soñada de la que se sintió ajeno. "El cambio fue bastante chocante. Aparte de tener que volver a iniciar los estudios en un idioma, el español, que sólo hablaba fonéticamente y que no sabía escribir correctamente".

"A escribir canciones empecé en la 'mili'. Eran canciones absolutamente de cachondeo, canciones golfas para cantar en la cantina. Conocía a Massiel antes de que ambos cantáramos. Cuando salí de la 'mili', ella ya cantaba y me pidió canciones para interpretarlas. Entonces me puse a escribir un poco más en serio".

El éxito de sus primeras canciones, que resultó inesperado y, según Aute, poco justificado, la doble actividad de pintar y cantar, y el miedo que siempre ha sentido por el escenario y el público, le condujeron en 1969 a retirarse de la canción durante casi cinco años, después de la grabación de su segundo disco, '24 canciones breves'.

"Dejé de cantar durante ese tiempo porque no veía una relación clara entre lo que cantaba y lo que pintaba. Eso me chocaba, no acababa de entenderlo. Si tengo algo que contar, tanto si pinto como si canto, tiene que ser lo mismo lo que cuente, al margen del lenguaje concreto que utilice. Y eso me fallaba entonces. Lo que me salía en la canción no era lo mismo que en los cuadros ni lo que yo quería hacer. Durante esos cinco años de mutis intenté encontrar el nexo de unión entre ambas manifestaciones. De alguna manera lo encontré al fin en el álbum 'Rito' (1973), y más que nada en 'Sarcófago' (1976), donde había ya una unión entre pintura y canción".

"En lo que más seguro me he sentido siempre es en la pintura", comenta cuando hablamos de su polifacética dedicación artística. "Llevo muchos años pintando y he pasado por casi todos los estilos, y es lo que mejor domino. En cuanto a escribir, creo que estoy aprendiendo a hacerlo moderadamente bien"

44

1. ¿Quién es y a qué se dedica?

2. ¿Desde cuándo se dedica a eso?

3. ¿Es español? ¿No habla español?

4. ¿Cuándo llegó a España?

5. ¿Cuándo empezó a escribir canciones?

6. ¿Ha cantado desde entonces? ¿No? ¿Por qué?

7. ¿Te acuerdas de los nombres de algunos discos?

3.

En una revista te encuentras con este artículo sobre los cármenes de Granada. El título te sorprende. Lee la introducción para saber:

Los cármenes de Granada

PARAÍSOS PERDIDOS

Texto: Rosa Montero / Fotos: Ana Torralva

Los cármenes de Granada son unas quintas provistas de huerto y de jardín que datan, en concepto y estructura, del tiempo de los árabes. Tras una etapa de esplendor a finales del siglo XIX, los cármenes fueron languideciendo en un abandono progresivo. En los últimos años, sin embargo, se ha producido una revitalización de estas viviendas, que han pasado a ser ocupadas por profesionales y clases medias. Más que un tipo determinado de finca, el carmen es una forma de vida, pausada, sensual e intimista. Una forma de vida que está en crisis: de algún modo, los cármenes pertenecen a un mundo que hoy no existe.

1. ¿Qué es un carmen?

2. ¿Qué características tienen?

3. ¿Cuándo se construyen los primeros?

4. ¿Cuándo están en su mejor momento?

5. ¿Quién vive actualmente en ellos y desde cuándo?

6. Según el periodista, ¿qué significa vivir en un carmen?

Como estás muy interesado por la cultura española, sigues leyendo. ¿Podrás después contestar a las preguntas?

El carmen es, sobre todo, un ritmo especial, una geografía plácida y sin tiempo.

"Me dicen que si no me canso de ver siempre la Alhambra. Y no, no me canso ni me puedo cansar nunca, porque la Alhambra cambia cada día, cada momento, se pone de los colores más increíbles, todos distintos...", explican los propietarios de estos jardines, los habitantes de estos pequeños paraísos.

El concepto del carmen granadino es de origen árabe: "La palabra carmen viene del árabe *karm*, que significa viña", explica Emilio de Santiago Simón, profesor de Historia del Islam de la Universidad de Granada. Los cármenes ocupan las laderas de las colinas enclavadas entre los cauces del Darro y del Genil, y aquellos que se encuentran en el Albaicín, frente a la esplendidez de la Alhambra, son los considerados más típicos.

El carmen es una casa más bien pequeña que cuenta con un terreno que tampoco suele ser muy grande. La vivienda en sí es generalmente modesta, es la huerta/jardín lo más importante en el conjunto.

El carmen tuvo un cierto auge en la época barroca, explica el arabista Emilio de Santiago, "pero el momento *cumbre* de los cármenes llegó en el siglo pasado. Es entonces cuando la burguesía ilustrada, influida por los orientalistas del XIX, revitalizó todas estas fincas. Reconstruyeron los cármenes antiguos, adornándolos con detalles falsamente orientales. A partir de entonces el tener un carmen se convirtió en sinónimo de riqueza y en índice económico. Idea que aún pervive en nuestros días".

Sin embargo, la propiedad y el sentido de los cármenes está cambiando mucho en los últimos años. Algunos siguen perteneciendo a personas adineradas: suelen ser los más grandes, construidos precisamente con la fusión de varias fincas pequeñas, y son utilizados como segunda residencia, como finca de verano. Pero hace una quincena de años comenzó un movimiento de recuperación de este tipo de viviendas. Fue entonces cuando una clase media profesional empezó a adquirir las ruinosas casas, las fincas abandonadas. Instalaron en ellas su residencia permanente y las rescataron del olvido. Eso hizo Mariano Cruz, un sevillano de 52 años que es funcionario del Ministerio de Agricultura. Mariano, que lleva viviendo en Granada 30 años, estaba enamorado del Albaicín, esta colina/pueblo que se apre-

tuja de casas blancas frente a la Alhambra: "Yo venía mucho por aquí, y siempre tuve la ilusión de mudarme a vivir al Albaicín. Claro que a mí no se me ocurría ni pensar en un carmen, porque creía que eso era para gente privilegiada y que no estaba a mi alcance. Yo quería una casita pequeña, con algo de jardín. Pero un día, hará 14 años, estaba tomando un vino con unos amigos de aquí, y uno me dijo: 'Si quieres, te enseño un carmen que se vende'. Y lo fui a ver. El jardín estaba bastante bien, la obra bastante mal. Pero llamé ese mismo día por teléfono y ese mismo día me lo compré, y sin dinero. Me costó dos millones y medio de pesetas. Puse a la venta un piso que tenía en Granada, y me dieron por él tres millones. Todavía me sobraron 500.000 pesetas...". Y de la finca que compró salieron dos cármenes, el de los Patos, que es la casa en la que vive Mariano Cruz, y el de la

Estrella, propiedad de la ex mujer de Mariano.

"Es que por entonces nadie quería comprarlos. Los cármenes estaban a la venta durante años, sin que nadie los adquiriera. Entonces la gente te decía: 'pero, ¿te vas a vivir al Albaicín? ¡Tú estás loco!'".

Y aún lo dicen. Los bienpensantes de Granada siguen considerando que el Albaicín "está muy lejos", aunque en realidad se trate de un barrio que apenas si dista 10 minutos del centro de la ciudad.

La gente del Albaicín trabaja fuera del barrio, de modo que aquí nadie es el patrón de nadie, al contrario de lo que sucede en los pueblos. Aquí todos somos iguales". Desde luego los albaizineros no se consideran granadinos: te sorprenden a cada momento con su "voy a Granada" o "vengo de Granada", como si se tratara de una ciudad ajena y distante.

1. ¿Qué se ve desde los cármenes? ¿Se cansan de ver eso o no? ¿Por qué?

2. ¿Cómo son los cármenes y qué parte es la más importante?

3. ¿Qué pasó en el siglo XIX? ¿Quién se instaló en los cármenes? ¿Qué hicieron? ¿En qué se convirtieron los cármenes?

4. ¿Pasa lo mismo actualmente?

5. ¿Qué es el Albaicín? ¿Dónde está? ¿Qué piensa la gente que vive en Granada de vivir allí? ¿Y los del Albaicín qué dicen de Granada?

4.

Has pasado una semana en Cadaqués con unos amigos. Escribe una carta a otro amigo explicándole el viaje y la estancia. Aquí tienes un esquema para que no te olvides de nada:

VIERNES, día 5

– Salida de Barcelona.
– Barcelona-Llansá en tren.
– Llansá-Cadaqués en auto-stop:
  3 horas en la carretera.
– Llegada a Cadaqués 23 h., sin hotel.
– Primera noche en la playa.

SÁBADO, día 6

– Pensión "Bahía" (horrible: ruido, sucia, cara, duchas estropeadas, ...).
– Playa todo el día y paseos por el pueblo.
– Noche: encuentro con Esteban en una discoteca. Invitación para ir a su casa.

DOMINGO, día 7

– Instalación en casa de Esteban.
– Paseo en barca. Día estupendo.

DÍAS 8, 9, 10 y 11

– Casa de Esteban.
– Playa de 11 h. a 4 h. Siesta.
– Cena restaurante. Copas hasta muy tarde. Amigos de Esteban.

VIERNES, día 12

– Excursión al cabo de Creus. Bicicletas alquiladas.
– Baño fantástico en lugar tranquilo, casi desierto.
– Regreso a Cadaqués accidentado: caída de Jaime y lluvia. Cansadísimos.

SÁBADO, día 13

– Regreso Barcelona tren.
– Viaje pesadísimo: tren lentísimo, 3 horas de pie.

5.

Haz frases según el modelo:

● ¿Y qué te pasó?
○ Nada, (EL SUELO ESTAR MOJADO/RESBALAR/CAERME)

Nada, el suelo estaba mojado, resbalé y me caí.

3.

1. ● ¿Y Luis?
   ○ (ENCONTRARSE MAL/NO PODER VENIR/AYER)

   _____

2. ● ¿No fue a tu casa Natalia ayer?
   ○ No, (TENER MUCHO TRABAJO/QUEDARSE EN LA OFICINA HASTA LAS 10 H.)

   _____

3. ● ¿Por qué no llamaste anoche?
   ○ Es que al llegar a casa, (TENER FIEBRE/ACOSTARME)

   _____

4. ● ¿No os quedasteis hasta el final del concierto?
   ○ No, (HABER MUCHA GENTE/OIRSE MAL/DECIDIR MARCHARNOS)

   _____

5. ● ¿Por qué llegáis tan tarde?
   ○ Nada, es que la moto (NO FUNCIONAR BIEN/LLEVARLA AL TALLER)

   _____

6. ● ¿A dónde has ido?
   ○ (NO TENER TABACO/BAJAR AL ESTANCO)

   _____

7. ● ¿Que hicisteis anoche?
   ○ (HABER UNA PELÍCULA BASTANTE BUENA EN LA TELE/NO SALIR)

   _____

8. ● ¿Qué tal la fiesta?
   ○ Muy bien, (HABER MUCHA GENTE/PASARLO ESTUPENDAMENTE)

6.

Completa con imperfectos:

1. ● ¿Qué hacías en Madrid los fines de semana?

   ○ Nada, a veces (IR) _____ a la Sierra, otras (QUEDARME) _____ en casa, y de vez en

   cuando, (SALIR) _____ con unos amigos.

2. ● Antes, todos los domingos (REUNIRNOS) _____ los hermanos en casa de mis padres,

   (COMER) _____ y (PASAR) _____ la tarde juntos, pero ahora nos vemos muy poco.

3. ● ¿Cómo es que César está tan gordo?

   ○ Es que antes (JUGAR) _____ todos los sábados al tenis y los domingos (CORRER) _____ un par de horas, pero ahora...

4. ● ¿Qué tal los Gutiérrez?

   ○ Pues últimamente no nos vemos.

   ● ¿Verdad que el año pasado (SALIR) _____ a menudo y (CENAR) _____ cada quince días en "Casa Paco"?

7.

Haz frases según el modelo:

Tú/conocer a Elvira
cinco meses

● *¿Cuánto tiempo hace que conoces a Elvira?*
○ *(Hace) cinco meses / La conozco desde hace cinco meses.*

1. Tú/dejar de fumar
   unos tres meses
2. Vosotros/instalarse aquí
   un par de años
3. Ustedes/comprar el apartamento
   ocho meses
4. Félix/ponerse enfermo
   unos quince días
5. Tus padres/venir
   tres semanas
6. Usted/no ver a Carlos
   unos cuantos días

8.

Une las frases usando cuando:

El mes que viene iré mejor de tiempo y pasaré por tu casa.

Pasaré por tu casa el mes que viene, cuando vaya mejor de tiempo.

1. Ahorraré un poco y me iré a viajar por África.
2. Volverás tarde esta noche, ¿no? Pues intenta no hacer mucho ruido.
3. El lunes sabré qué planes tiene Amalia para las vacaciones y podremos decidir qué hacemos.
4. Luego tendrás un rato libre, ¿verdad? ¿Me ayudarás a hacer esta traducción?
5. Lee este artículo y luego me dirás qué opinas.
6. ¿Verdad que el próximo fin de semana estaréis en Andorra? ¿Me podréis comprar un frasco de este perfume?
7. Vas a salir a la calle, ¿no? ¿Puedes echarme estas cartas?
8. Se enterará de que no le habéis invitado y se enfadará.

3.

9.

Construye frases según el modelo:

Llegar Ricardo/Cenar (nosotros)

Cenaremos cuando llegue Ricardo. ¿Verdad?

1. Llevar este paquete a Correos (usted)/Poder (usted)
2. Reservar los billetes (nosotros)/Saber la fecha del Congreso (nosotros)
3. Comprar fruta (tú)/Salir a la calle (tú)
4. Explicarle lo que ha pasado al Doctor Serra (nosotros)/Venir (él)
5. Hacer unas fotocopias de estos documentos (usted)/Terminar de leerlos (ellos)
6. Arreglar todo esto (vosotros)/Tener un rato libre (vosotros)

10.

Transforma según el modelo (utiliza a los..., al...siguiente, más tarde, después, etc.):

Se conocieron en 1980.
Se casaron en el 81.

Se conocieron en 1980 y al cabo de un año se casaron.

1. Le operaron en abril.
   En mayo se puso a trabajar.
2. Le dieron ese trabajo el 15 de junio.
   El 30 de junio lo despidieron.
3. Empezó la carrera cuando tenía 20 años.
   La terminó cuando tenía 23.
4. Llegó a España en el 83, a principios.
   A mediados del 83, consiguió un trabajo.
5. En el 75 entró a trabajar en ese banco.
   En el 80 le nombraron director de una agencia.
6. Se fue a Nueva York el día 18.
   El 21 se enteró de la muerte de su padre.
7. Me regalaron el reloj un lunes.
   Lo perdí el miércoles.
8. Nos conocimos en agosto.
   En octubre se instaló en nuestra casa.

11.

Completa con una sola palabra en cada espacio:

1. ● Estuvimos _____ _____ viajando por el norte de África.

   ○ Sí, unos tres o cuatro meses.

   ▲ ¡Qué interesante!

50

2. ● ¿Has visto últimamente a Jesús?

   ○ Sí, claro. Salimos muy _____ _____, una o dos veces por semana.

3. ● No te olvides de llamar a Fernando _____ _____ marcharte.

4. ● Pasamos unos _____ días en casa de mis primos, los de Santander, y el _____ de las vacaciones en Ciudad Real.

5. ● ¿Qué tal por Andalucía?

   ○ _____ . Lo pasamos muy bien.

6. ● ¿Cuándo vuelve Pedro?

   ○ Supongo que _____ _____ de febrero. Ya _____ varios meses fuera y tiene muchas ganas de volver.

   ● Pues a ver si, cuando _____, vamos a tomar unas copas.

7. ● ¿Mi hermano? ¡Un desastre! El año pasado empezó a estudiar Derecho, pero _____ _____ _____ unos meses lo dejó.

8. ● ¿A qué hora quedamos?

   ○ ¿Te va bien _____ las seis o seis y media?

3. Lo que oyes

3.1.

MODELO: trabajando en Suiza
¿Cuánto lleva trabajando en Suiza?

1. trabajando en Suiza
2. en esa empresa
3. viviendo en Argelia
4. viajando por España
5. en Perú
6. estudiando alemán

3.2.

MODELO: ¿Qué tal el domingo?
fatal/muy mal
Fatal. Lo pasamos muy mal.

1. ¿Qué tal el domingo?
fatal/muy mal
2. ¿Qué tal el domingo?
de maravilla/estupendamente
3. ¿Qué tal el domingo?
horrible/fatal
4. ¿Qué tal el domingo?
estupendamente/muy bien
5. ¿Qué tal el domingo?
no muy bien/bastante mal

3.3.

MODELO: Viaje/larguísimo
Fue un viaje larguísimo.

1. viaje/larguísimo
2. conferencia/verdaderamente interesante
3. reunión/pesadísima
4. fin de semana/divertidísimo
5. vacaciones/estupendas
6. comida/muy agradable
7. fiesta/aburridísima

3.4.

MODELO: Francia/España
¿En Francia? No, fue en España.

1. Francia/España
2. Holanda/Bélgica
3. la radio/la tele
4. Panamá/Guatemala
5. casa de Enrique/mi casa
6. Marruecos/Túnez

3.5.

> MODELO: ése/ahí arriba
> ¿Quién es ése de ahí arriba?

1. ése/ahí arriba
2. ésos/la izquierda
3. aquél/la escalera
4. aquéllos/la puerta
5. ésa/la barra
6. él/la mesa del fondo
7. aquélla/el balcón

3.6.

> MODELO: llovía mucho/nos quedamos en casa
> Llovía mucho, así que nos quedamos en casa.

1. llovía mucho/nos quedamos en casa
2. estaban todas las tiendas cerradas/fuimos a cenar a un restaurante
3. me estaban esperando/casi no pude hablar con ella
4. no teníamos nada que hacer/nos fuimos al cine
5. el niño se puso enfermo/no pudimos ir a la boda

3.7.

> MODELO: vives en este piso
> ¿Hace mucho que vives en este piso?

1. vives en este piso
2. estás casado
3. espera
4. Lucía trabaja con Esther
5. está en el hospital
6. viven juntos

3.8.

Repite:

1. ¿No te acuerdas de que fue el día de San Juan?
2. Que no, que fue en Navidad.
3. ¡Ah, sí! Es cierto. No me acordaba.
4. ¿En Bilbao? Ah, sí, sí. Ahora, ahora.
5. Sí, es verdad, fue en Roma. Ya me acuerdo.

3.9.

> MODELO: fueron unos días horribles
> Total, que fueron unos días horribles.

1. fueron unos días horribles
2. no nos gustó nada
3. nos divertimos mucho
4. lo pasamos bastante mal
5. fue una fiesta aburridísima

3. Lo que oyes

3.10.

Coloca cada palabra en la columna adecuada según el acento:

___↙___ _ _	_____↙_ _	_____↙
1.	accidente	
2.		
3.		
4.		
5.		
6.		
7.		
8.		
9.		
10.		

3.11.

Escucha y contesta las preguntas por escrito:

1. ¿Cuánto tiempo lleva?

   _____

2. ¿Cuándo se conocieron?

   _____

3. ¿Cuándo empezó a trabajar y cuándo dejará de trabajar?

   _____

4. ¿Cuándo volvieron a Santander?

   _____

5. ¿Cuándo jugarán?

   _____

6. ¿Cuándo la vio?

_____

7. ¿Cuándo se cambian de piso?

_____

8. ¿Cuándo la llamó?

_____

9. ¿Cuánto tiempo ha estado en la cocina?

_____

10. ¿Cuánto tiempo estará en el hospital?

_____

11. ¿Cuándo se fue y cuándo volvió?

_____

12. ¿Cuándo lo nombraron director?

_____

13. ¿Cuándo termina la mili?

_____

14. ¿Cuánto tiempo hace que no la ve?

_____

15. ¿Cuándo se casan?

_____

Crónicas de juventud

La evolución de la juventud sufre un gran proceso de aceleración en la década de los "60": de empezar esos años cantando

Los años 60

aquello de "la vida es una tómbola, tom, tom, tómbola...", de Marisol, llegamos al final de los mismos repitiendo las consignas del mayo del 68, corriendo delante de "los grises", dejándonos crecer barbas y melenas y declarándonos fans de los Beatles... Eran los tiempos de los Planes de Desarrollo, del Opus Dei, del Plan Nacional de la Vivienda, de la compra masiva de televisores (se pasó de 200.000 a casi tres millones en diez años), del Referéndum y de los 25 Años de Paz, de las primeras pintadas de "Libertad", de la llegada del hombre a la Luna, de Carrero Blanco, de la designación de don Juan Carlos de Borbón como heredero, de la DGS (Dirección General de Seguridad), de las huelgas en Euzkadi, Asturias y Sagunto, de las huelgas estudiantiles, de los estados de excepción, de las primeras Comisiones Obreras, de las bombas de Palomares, del

baño de Fraga, de las primeras acciones de ETA, de los primeros grupos de teatro independientes, del compromiso de los intelectuales con la democracia, de Manolo Santana, de la vespa, de las máquinas de millón, de las multicopistas, de los curas obreros, de las manifestaciones de estudiantes, de "los grises", de la emigración, del consumo, de "Triunfo", "Cuadernos para el Diálogo", "Destino", "Mundo Obrero", "Ruedo Ibérico", años de tímida apertura política, del fenómeno del turismo, del twist, lo ye-yé y la minifalda, del "La-la-lá", de los asesinatos del Che Guevara, John F. Kennedy y Martin Luther King, de la "nova cançó", de Joan Manel Serrat, Lluís Llach, Raimon, Paco Ibáñez, Víctor Manuel, Aute, Miguel Ríos, M.ª del Mar Bonet, y también de los Brincos, el Dúo Dinámico, Los Pekenikes, Teddy Bautista, los Pop-Tops, e incluso

de Raphael y de un jovencísimo Julio Iglesias... Y años también de música anglosajona, estandartes de la revolución juvenil, al igual que las de Raimon o Paco Ibáñez, y por las de grupos musicales como The Beatles, Beach Boys, Four Tops, Bee Gees, Moody Blues, Rolling Stones, Led Zeppelin, Jefferson Airplane... de canciones como "Good vibrations", "I'm a believer", "Monday, monday", "Sugar, sugar", "Satisfaction", "Yesterday", "She love's you", "Michelle", "Help"..., de Donovan, Simon & Garfunkel, Mama's & Pap's, Moustaki, Hendrix... En un vídeo instalado en el salón familiar de la época, se repite ininterrumpidamente el cortometraje "Madison", de Carles Jover y Josep Anton Salgot, auténtico documento de los guateques de aquellos años y de las relaciones entre los jóvenes de los primeros años sesenta.

Una buhardilla de "pareja progre" recoge el ambiente de esta década, con algunos de sus grandes mitos presidiendo en forma

Los años 70

de poster las paredes: el "Che" Guevara, Freud, Raimon... Eran los años del Proceso de Burgos y el principio de la agonía del franquismo; la juventud española vivía una especie de reflejo del mayo del 68 y de la revolución juvenil del mundo occidental, junto con la lucha política. La enfermedad de Franco, las manifestaciones, ¡Libertad! La muerte de Franco. El Gobierno de UCD. La Constitución. El Rey. La crisis del petróleo... Y, paralelamente, las largas faldas floreadas y botas camperas de las chicas, y los pelos largos y barbas, tres cuartos y macuto de los chicos; las comunas, los hippies, Ibiza, la contra-cultura, los movimientos marginales, el porro, el orientalismo, el Kamasutra, la Meditación Trascendental, el ecologismo, el pacifismo, la canción de protesta, la "nova cançó" catalana, el rock sinfónico, la música anglosajona, los grandes conciertos, Woodstock a la española, los grupos de teatros independientes (Tábano, TEI, Els

En los años 70 era fácil ver multicopistas clandestinas donde se editaban panfletos, convocatorias...

Garbo

56

Joglars, Els Comediants...), revistas como "Opinión", "Ajoblanco", "El Viejo Topo"... Comics y Comix como "Spirit", "Vampus", "Star", "Víbora", "1984", "Totem", "Creeny"... Un vídeo trata de reflejar una panorámica de esos años, mientras el espacio se inunda con canciones del momento: Rolling Stones, Genesis, Santana, Jethro Tull, Pink Floyd, King Crimson, Bruce Springsteen, Bob Marley, Carole King, Paul McCartney, Mike Oldfield, Lou Reed, John Lennon... y Amancio Prada, Labordeta, Quilapayún, Víctor Jara, Elisa Serna, Hilario Camacho, Raimon, Lluís Llach, Joan Manel Serrat, Miguel Ríos, Triana...

Los años 80

desde que Bob Dylan dijera aquello de 'La respuesta está en el viento', muchas cosas han pasado... como un enorme nubarrón desapareció Jimmy Hendrix, los hippies se hicieron ejecutivos, John Lennon acabó asesinado..." Para muchos, la muerte de Lennon fue una fecha cabalística que marcó el final de una época, algo así como el despertar a una realidad tras los sueños de una rebosante juventud... Muchos llegamos a creer que seríamos jóvenes para siempre y que jamás tendríamos que recurrir a la frase aquella de "la juventud está en la mente"... Manuel Vázquez Montalbán hace también su repaso a estos años, en un artículo publicado en el libro "Crónicas de Juventud": "... me habían educado para escuchar a Conchita Piquer y Marcos Redondo, pero fui subiendo por los peldaños sonoros de la modernidad y aceptando a Ray Anthony, el jazz, la canción francesa, Presley, los Beatles y lo que cuelga. Pero, lo reconozco, fue necesario el asesinato de Lennon para darme cuenta que teníamos casi la misma edad, que habíamos sido jóvenes casi al mismo tiempo..."

"Crónicas de Juventud" puede significar un monumento a la nostalgia, pero se plantea más bien como una llamada al recuerdo, a la reflexión y a la comprensión entre las diversas generaciones... Quienes nos dejamos crecer las melenas a principios de los años 70, podemos entender mejor a los que ahora se pintan el pelo con mechas de llamativos colores; o los que sonreíamos irónicamente al oír hablar a nuestros padres y abuelos de "los felices años 20" aceptaremos mejor ahora que un chaval de 17 años tilde de "carroza" a la música de nuestros entrañables Beatles. Ya decía Bob Dylan en una de sus primeras canciones que "los tiempos están cambiando", sólo que ahora lo hacen mucho más vertiginosamente... ¿Qué opinarán de "Police" o de "Mecano" los hijos o los nietos de los jóvenes de los 80, si alguna vez llegan a tenerlos? Tal vez se contemplen entonces como pintorescas y ancestrales muestras de una absoleta forma de expresión a la que se conocía por el nombre genérico de música...

Por: **Fernando Mirc**

Fotos: **Cecilia Illa**

Los jóvenes de los 80 muestran un interés mayor por la estética que por la política, aunque con plena consciencia de sus dificultades, del paro juvenil, de la amenaza nuclear, de la supervivencia... Son tiempos de predominio de la música, el ordenador y la electrónica, y también de crisis, de creatividad, de punks, afterpunks, postmodernos y otras etiquetas respuesta a movimientos anteriores... Son los años del PSOE, de Felipe González, de "el cambio", del 23-F... De David Bowie, Lionel Richie, Stevie Wonder, Dire Straits, Police, Frankie Goes to Hollywood, Michael Jackson, Prince... y, cada vez más de Radio Futura, Alaska y los Pegamoides o Dinarama, Barón Rojo, Objetivo Birmania, Golpes Bajos, Mecano, Siniestro Total, Gabinete Caligari... Pero, habrá que esperar a los 90 para hacer el resumen de los 80.

Por entre los vídeos, plafones y la pantalla gigante que tratan de ilustrar esta década inacabada, se oye una voz en off: "...

Como en los 70 fue la melena, en los 80 son los pelos de punta, aderezados con los más variopintos colores.

3. Al pie de la letra

Guía para ser europeo

Nos va a cambiar la vida, hagamos lo que hagamos, aunque sea simplemente ir a la compra. Bien vale irse enterando porque todo empieza ya, en enero, si nada se tuerce. Estas son las recomendaciones de CAMBIO 16 para no llevarse sustos.

Para el consumidor

A partir del próximo año subirán los precios a causa de la aplicación del IVA (Impuesto sobre el Valor Añadido). Se espera un aumento adicional del índice de precios al consumo del 3 por ciento. Subirán más los automóviles, las bebidas alcohólicas, el tabaco y los artículos de lujo. Menos y más lentamente, las frutas y hortalizas. No tanto la leche, los productos lácteos y la carne de vacuno. Comprarse un piso de protección oficial va a ser por lo menos 250.000 pesetas más caro. En cambio, resultará más asequible que ahora hacerse con un coche de importación, aunque siempre, claro está, a más precio que un vehículo de fabricación nacional. (De todas formas, habrá que esperar siete años para que la importación de vehículos europeos se liberalice completamente.)

Lo que sí tendrán los consumidores españoles es más cosas que comprar. En el mercado habrá más productos alimenticios europeos —quesos, mantequillas, carnes, pescados—, en los escaparates de los grandes almacenes se verán más trajes y vestidos franceses e italianos, en las tiendas especializadas se venderán más aparatos de electrónica fabricados en Europa.

Allá por el año 1993, los españoles podrán llenar el depósito de su automóvil con gasolina de la Shell, la BP y la Total francesa. Para entonces se habrá acabado también el monopolio de Tabacalera y podremos fumar cualquier cigarrillo de las marcas que se produzcan en Europa, aunque la empresa española fabrica ya, bajo licencia, las marcas más vendidas en el mundo. Pero, ¡atención!, los impuestos van a hacer subir rápidamente los precios del tabaco negro, hasta el punto de que se-

rán casi tan altos como los del rubio. Precisamente Tabacalera va a comercializar más tabaco rubio.

Para el viajero

Dentro de unos años, cualquier español podrá tener un documento de color lila, de 87 por 124 milímetros, y que se llama "pasaporte europeo". Con este papel en la mano se podrá viajar por todos los países de la CEE. Con la apertura de fronteras vendrán también los tour-operadores europeos, que nos ofrecerán viajes a Canarias o las Baleares más baratos que los actuales. De todas formas, los precios turísticos subirán algo con la adhesión como consecuencia de los incrementos en los pre-

cios de productos de consumo masivo como frutas, vino o comidas. Y la gran amenaza, el IVA, será el culpable de que cada español tenga que pagar un tres por ciento más por los precios turísticos, que, de todas formas, son más bajos que en Europa. Pero las posibilidades de viajar serán mayores. Por ejemplo, los ciudadanos de Barcelona o Zaragoza podrían muy bien tener una línea aérea directa con Toulouse o Biarritz, que es lo que ya ocurre entre varias ciudades alemanas y francesas. Pero no sólo el movimiento de personas va a cambiar. Habrá mayores facilidades para que los empresarios españoles puedan transportar mercancías por Europa, y con esta mejoría será más sencillo mandar un paquete desde La Coruña a Munich, por poner un ejemplo. El transporte por carretera será alrededor de un quince o veinte por ciento más caro para el usuario, pero la culpa no habrá que echársela a la CEE, sino a la reconversión del sector, que necesita hacerse más seguro y transparente. Pero lo que se pague de más en la carretera nos lo ahorraremos en tiempo y nervios. En pocos años podemos empezar a despedirnos de las terribles colas que paralizan las fronteras europeas. Los camioneros de transporte TIR sufrirán muchos menos controles, e incluso en los aeropuertos los españoles entrarán por la puerta especial dedicada a los ciudadanos de la Comunidad. Los trámites serán más fáciles y rápidos.

Para el emigrante

Le va a ir mucho mejor. De momento se abren para él todos los derechos sociales que tienen sus compañeros de trabajo del país en que se encuentre. Lo mismo que el seguro de paro. Su problema, si pierde el empleo, será el mismo de cualquier otro trabajador de ese país. No tendrá que volver a España si quiere. La nación en la que prestó sus servicios le dará el seguro de paro. Finalmente, y a partir de ahora, el trabajador español en un país comunitario no encontrará pegas para llevarse allí a su familia.

Para estudiantes y universitarios

La convalidación de los estudios primarios y medios en el resto de los países comunitarios es libre, no existe una normativa legal al respecto. Nuestro sistema de EGB (Enseñanza General Básica) es muy parecido, en cuanto a duración, al danés; sin embargo, es totalmente opuesto al alemán, que es mucho más corto.

Hay una serie de títulos universitarios españoles que están convalidados en la Comunidad: los de médico, arquitecto, dentista, enfermería, matronas, veterinaria y abogacía para determinadas acciones legales.

El resto de las carreras técnicas y humanísticas no están homologadas en los países europeos, porque no existe una normativa comunitaria.

Para el pescador

Los vascos y los gallegos podrán trabajar en las aguas comunitarias. Tendrán, eso sí, que alejarse más de lo habitual —hacia el mar del Norte— para faenar, pero podrán capturar más del doble de merluzas que hasta ahora.

Para el agricultor

Los agricultores del norte sólo tendrán siete años para modernizar sus explotaciones, si es que no quieren ser arrasados por los excedentes comunitarios del norte de Europa. Los viticultores, fundamentalmente los de La Mancha, Andalucía y Levante, deberán andarse con cuidado, porque no todo el vino producido podrá ser comercializado, y una buena parte tendrá que ser destilado para convertirse en alcohol.

No les irá mejor a los olivareros. En principio aumentarán sus ingresos al subir los precios, pero crecerá también la tendencia del consumidor a usar otro tipo de aceites.

Los productores de cereales saldrán ganando, si es que consiguen reducir sus costes de producción y hacerse competitivos. Será la única manera de que consigan quitarles el mercado a los cereales comunitarios, que son más baratos.

En cambio, los agricultores de la zona mediterránea, dentro de diez años, aumentarán su nivel de vida, porque será a partir de entonces cuando puedan vender libremente sus productos a toda Europa.

Para el ganadero

Mal lo van a tener los ganaderos del norte. Habrá que reconvertirse. Muchos pequeños establos deberán cerrar porque las centrales lecheras preferirán comprar leche a vendedores comunitarios, que ofrecerán precios más bajos. Los productores de ganado porcino tendrán que esmerarse en eliminar cuanto antes la peste porcina. Será la única forma de poder exportar a los otros países comunitarios los jamones y los chorizos españoles. Mientras tanto, la CEE podrá vender libremente sus productos en España, aunque con ciertos controles. De lo contrario, sus precios, más bajos, arruinarían a los ganaderos españoles.

Para el industrial

Tienen un gran reto por delante. En siete años las industrias españolas no competitivas tendrán que ponerse al día si quieren sobrevivir. Algo, y no poco, se ha avanzado ya. La reconversión siderúrgica, naval, textil, de aceros especiales, electrodomésticos, bienes de equipo, etcétera, ha puesto a punto muchos sectores industriales para que puedan competir de tú a tú con sus homólogos europeos. Tendrán ya tecnología avanzada, plantillas adecuadas y diseños y comercialización conforme a los cánones. Podrán exportar con agresividad.

El Mercado Común ofrece muchas ventajas para que las empresas avancen tecnológicamente. Se podrán aprovechar de los trabajos del Centro Europeo de Investigación, enviando técnicos y recibiendo aportaciones. Podrán participar en los recursos de los distintos programas de investigación europeos. Además, tendrán a su disposición toda la información comunitaria, conociendo con todo detalle las normas necesarias para colocar cualquier producto en los demás países europeos.

3. Al pie de la letra

Moderado optimismo de los españoles ante la CEE

Madrid

El convencimiento casi generalizado de que las relaciones entre España y los demás países europeos mejorarán sensiblemente tras nuestra incorporación a la Comunidad Económica Europea (CEE), junto al temor mayoritario de un relanzamiento de la inflación, son los datos más destacados del sondeo sobre la opinión pública española ante el ingreso en el Mercado Común realizado por EL PAÍS a los pocos días de haberse alcanzado en Bruselas el acuerdo definitivo de adhesión, que se firmará en Madrid el próximo miércoles, con asistencia de varios primeros ministros y jefes de Gobierno.

ESPAÑA, DESPUÉS DEL INGRESO EN LA CEE

	Total Nacional (%)	Según intención voto próximas elecciones						
		Coal. Pol.	PSOE	CDS	PRD	PCE	PNV	CIU
Inflación								
Mejorará	31	22	42	30	39	48	30	30
Empeorará	54	61	46	58	50	43	65	55
No sabe / no contesta	15	17	12	12	11	9	5	15
Relaciones con los países europeos								
Mejorarán	83	85	88	78	100	89	90	91
Empeorarán	7	6	6	12	—	11	10	4
No sabe / no contesta	10	9	6	11	—	—	—	5
Lucha contra terrorismo								
Mejorará	54	54	62	56	81	38	62	56
Empeorará	19	21	17	15	3	16	14	24
No sabe / no contesta	27	26	21	29	16	46	24	20
Eficacia de la Administración Pública								
Mejorará	49	43	62	39	57	56	46	48
Empeorará	17	23	12	20	7	14	29	22
No sabe / no contesta	34	34	26	41	36	30	24	30
El paro / desempleo								
Mejorará	42	35	57	25	50	48	44	39
Empeorará	38	46	27	54	27	33	56	27
No sabe / no contesta	20	19	16	21	23	19	—	35
Inseguridad ciudadana								
Mejorará	38	33	52	34	42	28	51	43
Empeorará	27	34	20	25	18	26	34	22
No sabe / no contesta	35	33	28	41	39	46	15	35

Mi novia se llamaba Mary Address, la conocí dos meses después de estar en Mobile, por intermedio de la novia de otro marino. Aunque tenía una gran facilidad para aprender castellano, creo que Mary Address no supo nunca por qué mis amigos le decían «María Dirección». Cada vez que tenía franquicia la invitaba al cine, aunque ella prefería que la invitara a comer helados. Nos entendíamos en mi medio inglés y en su medio español, pero nos entendíamos siempre, en el cine o comiendo helados.

G.G. Márquez *Relato de un náufrago,*

¿QUIÉN SERÁ?

1.1.

A. Por lo que dicen los personajes, di qué es lo que sabemos de:

1. Los Muñoz
2. Andrés
3. Julián
4. Félix

5. Jorge
6. Adela
7. Pilar
8. Eulalia

B. Identifica a las personas que están en la boda y que tienen estas características:

1. Una está preocupada.

2. A otra le molesta algo.

3. A una no le cae bien otra persona.

4. A alguien se le ha muerto un familiar.

5. Alguien está aburrido.

6. Alguien tiene que hacer una llamada.

7. Alguien tiene que marcharse.

8. Alguien quiere salir un momento del salón.

<u>1.</u>

Acabas de leer este artículo. ¿Crees que el texto dice esto? ¿Dónde lo dice?

Pilar Miró:
Sola ante el peligro

Es hija, nieta y hermana de militares, y fue precisamente un conflicto con ellos –con los militares– lo que la convirtió en la directora más taquillera del cine español, con una película aparentemente poco comercial, un duro alegato contra la tortura, "El crimen de Cuenca".

Ella es <u>menudita</u>, de aspecto frágil y cutis transparente, pero tiene una mala salud y una voluntad de hierro. Todos pensaron que, después de su segunda operación a corazón abierto y de las polémicas suscitadas por su gestión al frente de la Dirección General de Cinematografía –desde la cual ha logrado sacar adelante una ley de protección al cine español, que ya todos llaman "la ley Miró"– se iría a casa a descansar. No fue así. Pilar Miró <u>no se rinde</u>.

Reapareció tras su convalecencia, pálida y ojerosa, más pequeñita que nunca, y fue a Alcalá de Henares con motivo de la entrega del premio Cervantes a Ernesto Sábato, un hombre al que admira. Eran los días de la reorganización del Ministerio de Cultura y Pilar volvió para hacerse cargo del nuevo Instituto de Cinematografía, que sustituye a la antigua Dirección General.

Es soltera y tiene un hijo, Gonzalo. Tiene una imagen de mujer solitaria. Contó lo que pensaba de los hombres, del amor y de la soledad en un hermoso homenaje a su actor favorito: *"Gary Cooper que estás en los cielos"*.

88/CAMBIO 16   N.° 704

1. Entre las películas realizadas por mujeres españolas, la que más espectadores ha tenido es una de Pilar Miró.

2. Parecía que poca gente iba a ir a ver "El Crimen de Cuenca".

3. Pilar Miró no es muy alta.

4. Cuando fue <u>a la entrega</u> del Premio Cervantes aún no estaba completamente recuperada de su operación.

5. Como Directora General de Cinematografía Pilar Miró fue muy criticada por unos sectores y defendida por otros.

6. Una de sus películas está dedicada a Gary Cooper.

Ahora anota en estas columnas toda la información que puedas conseguir en el texto sobre Pilar Miró:

Físico: _____

_____

_____

Manera de ser: _____

Datos de su vida personal: _____

Datos de su vida profesional: _____

Temas de algunas de sus películas: _____

2.

Responde a este test y averigua tu puntuación para saber si envejeces bien o no:

test

¿Envejece usted con dignidad?

Su 35 cumpleaños ha pasado seguramente sin que usted se preocupe demasiado por el problema de envejecer. No obstante, ese es el aniversario fatídico en que los expertos sobre la materia afirman que la persona ha doblado la esquina sutilmente y debe prepararse para las inevitables marcas que el tiempo deja. La mayoría de los norteamericanos contemplan la cuestión de envejecer como algo que pueden superar. Marion Sims, psiquiatra británica, señaló —en una panorámica de la sociedad norteamericana— que la gerontofobia (temor a envejecer) era el problema sociopsicológico número uno del país.

Más cerca de nosotros, el doctor Francis J. Branceland, famoso especialista en geriatría de Hatford (Connecticut) afirma que la obsesión por la juventud provoca estrés innecesario —y angustia— a millones de personas que, en lo demás, son perfectamente normales.

Y según el doctor Ernest van den Haag, psicoanalista neoyorquino, "el envejecimiento es algo difícil de aceptar porque a la vejez no se la respeta. Así que nadie la quiere admitir. Todos te animan a que actúes como si tuvieras veinte años. Y así sobreviene la crisis".

El siguiente cuestionario, adaptado de recientes estudios de gerontología llevados a cabo en EE UU, está pensado para personas de 35 o más años especialmente. Pero incluso si usted es más joven, sus respuestas le pueden proporcionar información sobre su disposición mental para enfrentarse a la realidad de la mejor manera posible cuando llegue la hora del crepúsculo. Responda sí o no.

1. ¿Le disgusta la idea de tener que pasar una noche solo? no

2. ¿Se irrita más de lo normal por los pequeños problemas? no

3. ¿Le molestan las modas nuevas en los vestidos y en los peinados? no

4. ¿Se preocupa por su capacidad de amar o ser amado? Si

5. ¿Afirma usted con frecuencia que algún desconocido le recuerda a alguna persona que usted conoce bien? no

6. ¿Suelen irritarle las personas que le piden ayuda? no

7. Si sus asuntos diarios le exigen caminar un buen trecho, ¿prefiere coger algún medio de transporte? No

8. ¿Rechaza invitaciones de carácter social porque le resulten demasiado pesadas? no

9. ¿Surgen los recuerdos en su conversación con frecuencia? no

10. ¿Procura estar bien arreglado, aun cuando no espere a ningún amigo? Si

11. Cuando se sienta junto a alguien en el avión, ¿procura iniciar la conversación? no

12. ¿Cree que es importante estar bien informado? Si

13. ¿Escucha con atención lo que los demás digan, aun cuando no esté de acuerdo con ello? Si

14. ¿Practica algún hobby? Si

15. ¿Cuenta con amigos tanto viejos como jóvenes? no

16. ¿Le gusta charlar de cosas intrascendentes con los vecinos, empleados de tiendas y otras personas? Si

17. ¿Le aburre en ocasiones el aspecto de su casa y trata de encontrar la manera de cambiar la disposición de los muebles? Si

18. ¿Está usted de acuerdo con el proverbio: "Dichoso el que espera recibir poco de los demás, pues no se verá defraudado"? Si

19. ¿Le solicitan con frecuencia amigos y familiares para pedirle consejo? Si

20. ¿Le complace pertenecer a clubes o asociaciones? no

ii...Tan ricamente..!! ¿Passa algo?

Puntuación

Para las preguntas del 1 al 9, anótese un punto por cada *no;* para las preguntas del 10 al 20, anótese un punto por cada *sí.*

Una puntuación entre 16 y 20 indica que lleva usted el problema del envejecimiento de manera eficaz; 10-15 es la puntuación media; menos de 10 resulta en la conveniencia de realizar un decidido esfuerzo para adoptar nuevos y más adecuados modos de vida.

3.

	Escribe a estas personas:	porque:
1.	Al señor Gregorio Ortiz	Se ha muerto su hermana.
2.	A un amigo español	Cumple 30 años.
3.	A unos compañeros españoles	No pudieron ir a una fiesta. Explícaselo todo.
4.	A una pareja	Se casa.
5.	A un amigo del verano	Está enfermo.
6.	A la señora Ramona Díaz	Te ha enviado un regalo.
7.	A la familia Gómez	Pronto es Navidad.
8.	A una amiga española	Unos amigos comunes se han ido a otra ciudad. Ella no lo sabe.

4.

Habéis quedado en llamar a Ana María a su casa esta noche a las 9 h. Lleváis ya una hora intentando hablar con ella pero todo el rato comunica. ¿Qué debe pasar?

Ha dejado el teléfono mal colgado.

Habrá dejado el teléfono mal colgado.

1. Está en casa pero no se ha dado cuenta de que tiene el teléfono mal colgado.

2. No ha llegado a casa y ha dejado el teléfono mal colgado.

3. El teléfono está estropeado.

4.

4. Le ha pasado algo.

_____

5. La ha llamado el pesado de Jaime y están hablando.

_____

6. No se ha acordado de que la teníamos que llamar y está hablando con su familia.

_____

5.

Completa con preposiciones:

1. ● Lo sentimos pero nos tenemos que ir. Gracias _____ todo.

   ○ Gracias _____ vosotros _____ haber venido.

2. ● ¡Qué pena que no hayan venido tus padres! Tenía muchas ganas _____ verlos.

3. ● Esta mañana he visto a Margarita y me ha dado muchos recuerdos _____ ti.

   ○ Pues si la vuelves a ver, dale recuerdos _____ mi parte.

4. ● ¡_____ tu salud!

   ○ ¡_____ la vuestra!

5. ● Felicidades, Pilar. _____ muchos años.

6. ● ¿Te has enterado _____ que a Rafael lo han despedido?

7. ● ¡_____ usted!

   ○ ¡Y _____ vosotros!

8. ● Oye, Luis, ¿quién es esa gordita _____ amarillo? La conozco de vista, pero no sé cómo se llama.

6.

Contesta según el modelo:

   ¿Llegará tarde Emilio hoy?

   No, espero que llegue pronto. _____ (PRONTO)

1. ¿Laura vendrá con Jaime?

    _____ (SOLA)

2. ¿Estará arreglado el jueves?

    _____ (ANTES)

3. ¿Crees que a Carlos le gustará la chaqueta que le he comprado?

    _____ (SÍ)

4. La película de ayer fue horrible. ¿Qué·tal la de esta noche?

    _____ (BUENA)

5. ¿Será muy cara esa pensión de allí?

    _____ (BARATA)

6. ¿Le irán grandes estos zapatos?

    _____ (BIEN)

7. ¿Se habrán agotado las entradas?

    _____ (TODAVÍA QUEDAN)

8. ¿Se habrá enfadado?

    _____ (NO)

9. ¿Crees que el champán aún estará caliente?

    _____ (FRÍO)

10. A mí Pepe me cae muy mal. ¿Qué tal será su prima?

    _____ (MÁS SOCIABLE)

4.

Ayer oíste estas conversaciones. Explícaselas a otra persona. Pero, ¡ojo!: cuéntale lo realmente interesante.

RAMÓN: Envía estos documentos a Valencia, por favor.
TOMÁS: Sí, sí, claro. Los mandaré enseguida.

Ramón le pidió a Tomás que enviara los documentos a Valencia y el le dijo que los mandaría enseguida.

1. **DOCTOR YÁÑEZ:** Tiene que hacerse unos análisis de sangre y venga a verme, por favor, cuando tenga los resultados.
MANOLO: Muy bien, doctor. De acuerdo.

2. **NURIA:** ¿Puedes ir a pagar el alquiler esta tarde?
ALBERTO: Pues no sé si tendré tiempo porque tengo un montón de cosas que hacer.

3. **QUIQUE:** Pues lo siento, pero a mí Mariano me cae fatal. No lo puedo ver.
ADOLFO: Lo que pasa es que sois muy diferentes.

4. **GABRIEL:** Este fin de semana a lo mejor voy a esquiar.
MATILDE: ¿Con quién vas?
GABRIEL: Con mis primos, los de Granada, que están de vacaciones y tienen muchas ganas de conocer los Pirineos. Oye, por cierto, ¿por qué no vienes con nosotros? A ellos no les importará.
MATILDE: No sé..., no sé... No voy muy bien de dinero. Mañana te llamo y te digo algo.

5. **IGNACIO:** Van a casarse en noviembre.
TERESA: ¿Estás seguro? Me parece que él todavía no tiene el divorcio.
IGNACIO: Sí, sí, segurísimo.

6. **PACO:** No podré llegar antes de las 9 h.
ELVIRA: Ah, pues entonces nos veremos en casa de los Gormaz. Yo llegaré ahí sobre las 8,30 h.

1. _____
_____

2. _____
_____

3. _____
_____

4. _____
_____

5. _____
_____

6. _____
_____

8.

Completa con una sola palabra en cada espacio:

1. Oye, muchos saludos _____ _____ _____ José Luis.

2. Perdone, ¿le importa que _____ estas maletas un momento aquí?

   No, no, _____, _____.

3. Gracias _____ haber venido.

   Gracias _____ vosotros.

4. Adiós, buenas noches. ¡Que _____!

5. No puedo más. Me voy. Me _____ mucho estas situaciones.

6. ¿Que te cae bien Gerardo? ¡ _____ _____ pedante que es!

7. ¡Cómo _____ _____ Leonor! Está muy cambiada, ¿no?

8. Buen viaje. Espero que todo os _____ muy bien.

9. ¡Qué pena que no _____ quedaros un ratito más!

4. Lo que oyes

4.1.

MODELO: esa señora/rojo
¿Quién es esa señora de rojo?

1. esa señora/rojo
2. ese chico/blanco
3. el señor/negro
4. la chica/rosa
5. aquella señora/amarillo

4.2.

MODELO: no ha llamado
¡Qué raro que no haya llamado!

1. no ha llamado
2. no lo sabe
3. se ha ido sin decir adiós
4. no me ha dicho nada
5. no contesta
6. no ha dejado ningún recado

4.3.

MODELO: adelgazado
¡Cómo ha adelgazado!

1. adelgazado
2. engordado
3. cambiado
4. envejecido
5. crecido

4.4.

MODELO: está enfadado
¿Estará enfadado?

1. está enfadado
2. les ha pasado algo
3. han perdido el tren
4. se ha olvidado
5. ha perdido la dirección
6. se ha dado cuenta
7. nos ha visto

4.5.

MODELO: este tipo de fiestas
No soporto este tipo de fiestas.

1. este tipo de fiestas
2. las mentiras

70

3. este tipo de gente
4. lavar platos
5. llevar tantas maletas
6. esperar

4.6.

MODELO: abrir la ventana
¿Le importa que abra la ventana?

1. abrir la ventana
2. cerrar la puerta
3. llamarle más tarde
4. apagar la luz
5. salir un momento
6. hacer una fotocopia de este documento
7. dejar esto aquí

4.7.

MODELO: llegan esta tarde
¿Estás seguro de que llegan esta tarde?

1. llegan esta tarde
2. dijo eso
3. tiene que ir el sábado
4. es lo mejor
5. no hay otra solución
6. no vendrá hoy
7. van a tenértelo para mañana

4.8.

MODELO: Enrique se va a Nicaragua
¿Te has enterado de que Enrique se va a Nicaragua?

1. Enrique se va a Nicaragua
2. Esteban se va a la mili
3. han despedido a López
4. Gustavo está muy enfermo
5. Paca ha encontrado trabajo
6. Pepe y Elena se casan en agosto

4.9.

Repite:

1. ¿Dónde estarán?
2. ¿Qué le habrá pasado?
3. ¿Quién será?
4. ¿Qué querrá?
5. ¿Qué será?

4. Lo que oyes

4.10.

Repite:

1. ¡Que se mejore!
2. ¡Que aproveche!
3. ¡Que descanséis!
4. ¡Que tengas suerte!
5. ¡Que os vaya bien el examen!

4.11.

MODELO: Jaime no puede venir/le gusta mucho el campo
¡Qué pena que Jaime no pueda venir! Con lo que le gusta el campo.

1. Jaime no puede venir/le gusta mucho el campo
2. María no está/le gusta mucho la paella
3. Mercedes tiene que irse/le gusta mucho hablar con vosotros
4. Pablo no ha venido/le gusta mucho este tipo de películas
5. Arturo no puede quedarse a cenar/le gustan mucho las sardinas

4.12.

Coloca cada palabra en la columna adecuada según el acento:

↓ _ _	↓ _	↓
1.	talonario	
2.		
3.		
4.		
5.		
6.		
7.		
8.		
9.		
10.		

Lo que oyes 4.

4.13.

Escucha y escribe qué favores le/s pidieron:

Le/s pidió que:

1. _____

2. _____

3. _____

4. _____

5. _____

6. _____

7. _____

8. _____

9. _____

10. _____

4. Al pie de la letra

"SOLDADOS DE PLOMO"

Dirigida por José Sacristán

SINOPSIS ARGUMENTAL

Andrés (protagonista de la película, encarnado por José Sacristán) nos cuenta su propio personaje y su historia:

"Me llamo Andrés y hace algunos años que cumplí los 30. Presumo de saber idiomas, tener sentido del humor, jugar al mus y ser hijo natural de una tonadillera y un capitán de artillería. Mi padre estaba casado y tenía un hijo; legítimo, sí, pero bastante más feo que yo.

Nunca se supo bien por qué pero el caso es que, un buen día, mi padre decidió pegarse un tiro. Mi madre vendió lo que pudo, me cogió debajo del brazo y me llevó con unos parientes. Después volvió a la tonadilla, que era lo suyo. No la he vuelto a ver desde entonces. Y de esto hace ya...

Crecí. No de un modo excepcional, pero crecí. Y en cuanto tuve oportunidad decidí marcharme. Primero de la casa de mis parientes (unos santos, la verdad sea dicha), luego de la ciudad y luego del país.

Llevaba varios años dando clases de literatura española en Nueva York cuando recibí la carta de un viejo abogado amigo de mi madre comunicándome que mi padre, en su día, me donó el caserón donde habíamos vivido (un detalle del pobre capitán al no poder reconocerme), y que, ahora, una Sociedad estaba interesada en echarla abajo para construir apartamentos modernos y confortables. Un dato curioso es que la esposa y el hijo legítimos de mi padre forman parte de esa sociedad.

El caso es que he vuelto y he visto a D. Dimas, el viejo y entrañable abogado. Y a Blanquita, su hija, que es poquita cosa pero que tiene su encanto. Y he visto a Ramón mi hermanastro y a su madre, Doña Mercedes. Ramón, como dije, es más feo que yo pero tiene bastante más dinero. Y poder. Doña Mercedes lo tiene todo. Y además sigue siendo una mujer bellísima.

Y he visto la casa. Con su escudo y sus grandes balcones, sus interminables pasillo y salones... y lo poco más que queda de ella; muebles viejos, trastos, un piano desdentado, un gramófono del año de la pera, baúles y cestas con vestidos y sombreros apolillados... Por cierto: en una caja de zapatos me he encontrado unos soldaditos de plomo que solía comprarme mi padre. Y una pistola oxidada.

Es curioso que, desde que he llegado, me están ocurriendo cosas extrañas. Un día ha aparecido una rubia maravillosa como a curiosear o curiosearme, no lo sé muy bien. Noté algo raro en ella que no alcanzaba a explicarme hasta que le descubrí una pulsera de esmeraldas que llevaba puesta; mi madre tenía una pulsera idéntica. Claro, ¡era la misma! Lo he podido comprobar viendo un cuadro que alguien (bastante chapuza, por cierto) le pintó a mi madre en sus buenos tiempos; allí estaba la dichosa pulsera.

Luego he sabido que la rubia maravillosa no es otra que la mujer de mi hermanastro, que, por cierto, además de ser feo y rico tiene bastante mala leche porque, como no le quiero vender la casa, no para de amenazarme llegando incluso a ordenar a un par de tipos que me sacuden. Y me han sacudido, ya lo creo.

Pero yo sigo aquí. Porque ahora, además tengo la certeza de que mi padre no se suicidó, sino que le mataron. La vieja pistola oxidada me ha hecho olvidar muchas cosas. La noche que murió mi padre, yo estaba despierto. Oí un disparo, salí al pasillo y vi algo en lo que no he querido volver a pensar pero que pasó. Y que yo lo ví.

Me encuentro bastante excitado. Y confuso. D. Dimas es un hombre extraordinario, que me ayuda y me aconseja. Blanquita es una chica encantadora pero demasiado necesitada de estímulos vitales. Doña Mercedes no consigue ocultar del todo su inquietud al verme. Debo recordarle a mi padre. O tal vez otras cosas. Ramón me desprecia y me envidia a la vez. Elena, su mujer, es tan rubia y maravillosa como ambiciosa. Y lista. Y yo... no sé cómo va acabar todo esto porque... ¡vamos a ver! ¿qué pasa si no vendo el caserón? ¿quién mató a mi padre? Y mi madre (esa es otra) ¿dónde está? ¿qué será de ella?..."

Al pie de la letra 4.

Buenos Aires, 12 de mayo de 1947.

Estimada Doña Leonor:
Me he enterado de la triste noticia por la revista "Nuestra vecindad" y después de muchas dudas me atrevo a mandarle mi más sentido pésame por la muerte de su hijo.

Yo soy Nélida Fernández de Massa, me decían Nené, ¿se acuerda de mí? Ya hace bastantes años que vivo en Buenos Aires, poco tiempo después de casarme nos vinimos para acá con mi marido, pero esta noticia tan mala me hizo decidirme a escribirle algunas líneas, a pesar de que ya antes de mi casamiento Usted y su hija Celina me habían quitado el saludo. Pese a todo él siempre me siguió saludando, pobrecito Juan Carlos ¡que en paz descanse! La última vez que lo vi fue hace como nueve años.

Yo señora no sé si Usted todavía me tendrá rencor, yo de todos modos le deseo que Nuestro Señor la ayude, debe ser muy difícil resignarse a una pérdida así, la de un hijo ya hombre.

Pese a los cuatrocientos setenta y cinco kilómetros que separan Buenos Aires de Coronel Vallejos, en este momento estoy a su lado. Aunque no me quiera déjeme rezar junto a Usted.

Nélida Fernández de Massa

M. Puig, *Boquitas pintadas*

Semáforo

Esa chica de azul que espera ahí enfrente en el semáforo, ¿quién será?, ¿de dónde vendrá?, ¿adónde irá con el bolso en bandolera? Parece vulgar. No sé nada de ella, aunque en otras circunstancias pudo haber sido quizá la mujer de mi vida. Por la calle, entre los dos, pasa un furgón de policía y el aire de la ciudad se rasga con sirenas de ambulancia. La chica será secretaria, enfermera, ama de casa, camarera o profesora. En el bolso llevará un lápiz de labios, un peine, pañuelos de papel, un bono de autobús, polvos para la nariz y una agenda con el teléfono de unos primos del pueblo, de algún amigo, de algún amante. ¿Cuántos amores frustrados habrá tenido? Los anuncios de bebidas se licuan en la chapa de los automóviles. Hay un rumor de motores. La alcantarilla huele a flores negras. La joven me ve desde la otra acera y probablemente también estará pensando algo de mí. Creerá que soy agente de seguros, un tipo calvo, muy maduro, con esposa y tantos hijos o que tengo un negocio de peletería, un llavero en el bolsillo, un ignorado carné de identidad, una úlcera de estómago y 2.500 pesetas en la cartera. Se oyen violentos chirridos de caucho, la tarde ya ha prendido las cornisas. El semáforo aún está en rojo.

Si esa mujer y yo nos hubiéramos conocido en cierta ocasión tal vez nos habríamos besado, amado, casado, odiado, gritado, reconciliado e incluso separado. Lleva un abrigo azul. Parece un poco frágil y vulgar. No sé nada de ella. Desde el otro bordillo la chica también me observa. ¿Qué estará imaginando? Que soy un sujeto anodino, operado de apendicitis, con muchas letras de cambio firmadas para comprar un vídeo. Sin embargo, pude haber sido el hombre de su vida. Pude haberla llevado a la sierra con una tortilla o a Benidorm con grandes toallas y un patito de goma. Finalmente huye el último coche y el semáforo se abre. Por el paso de peatones la chica avanza hacia mí y yo voy hacia ella. Los dos, al cruzarnos, sorbemos sesgadamente nuestro rostro anodino con una mirada y al llegar cada uno a la acera contraria ya para siempre nos hemos olvidado. En la ciudad se oyen sirenas de ambulancia.

MANUEL VICENT

75

4. Al pie de la letra

Este pantano tiene una preciosa y tristísima historia. ¿Ves aquellas casas de la colina?

—Sí.

—Pues aquello es el final del pueblo. Aquella del techo de pizarra es la escuela, y la diminuta de al lado, esa casita de juguete de ventanas color verde, es la casa del maestro. Dicen que hace algunos años llegó aquí un maestro nuevo. Y dicen que en el pueblo había una muchacha que se llamaba Engracia y que rondaba la veintena. Ahora adorna en tu imaginación a esos dos personajes con los atributos propios de toda tragedia rural que se precia, o sea, que el maestro era joven, guapo, conquistador y malvado, y la muchacha era hermosa, rolliza, bueno, yo me la imagino rolliza, coloradota y serrana, y además dulce e ingenua. Tan ingenua no debía ser, de todas formas, porque se enamoró del maestro y dicen que por las noches se escapaba de su casa y venía a hacer el amor con él en su casita de caramelo verde. Para no ser vista, Engracia daba la vuelta a la colina y atravesaba el pantano, que ella conocía muy bien, llegando a casa de su amado por detrás, discretamente. Entonces le tiraba chinitas a la ventana, él abría, etcétera, etcétera, etcétera. Estuvieron manteniendo tal relación durante todo un año, pero al curso siguiente el joven sin escrúpulos consiguió el traslado a una escuela en los arrabales de la ciudad, de modo que le dijo a la muchacha que se iba. Ella se aterró ante la idea de perderle, le pidió que la llevara con él. Él, claro está, contestó que no, que tenía novia en la ciudad, que se iba a casar con ella, que esa fue la razón por la que pidió el traslado. Engracia lloró y lloró, enflaqueció, le salieron ojeras en esa cara suya que supongo rozagante. Y siguió acercándose a su casa cada noche. Pero el maestro quería terminar con ella, quizá porque pensaba que ya le había hecho mucho daño, o simplemente porque al pobre diablo le asustó la ardiente y enloquecida reacción de Engracia y tuvo miedo de ser descubierto. De manera que la muchacha llegaba todas las noches, le tiraba chinitas a la ventana durante horas, lloraba, imploraba y gemía un poco al relente y después se volvía a su casa sin que el maestro la hubiera recibido. Y así, día tras día durante las dos o tres semanas que quedaban hasta terminar el curso. Por fin, una noche, pocos días antes de que él se fuera, Engracia llegó puntual como siempre y arrojó sus guijarros. El maestro ya se había acostumbrado a estas visitas y ni tan siquiera miró por la ventana. Ella insistió una y otra vez, y otra, y otra. Al fin tiró una piedra que rompió el cristal. El saltó de la cama ante el estruendo y se asomó, temeroso e indignado. Engracia estaba de pie junto a la casa, mirándole fijamente. El maestro debió increparla, susurrarle furibundas quejas. Y entonces, sin contestar, Engracia comenzó a caminar hacia atrás, sin perderle la cara, despacito, muy despacio. El avisó, medroso: cuidado, que vas hacia el pantano. Pero ella seguía imperturbable, muy erguida, marchando hacia atrás, hasta que el lodo empezó a cubrir sus tobillos, luego las pantorrillas, al fin las rodillas, sus anchas rodillas campesinas. Allí quedó parada, muy tiesa, mirándole con fijeza. Y se hundía rápidamente, las arenas le subían por los muslos mientras Engracia intentaba mantener el equilibrio, le llegaban a la cintura, luego a los pechos, y seguía hundiéndose, cada segundo más y más. El maestro gritó, rogó, pidió auxilio. Y Engracia iba siendo engullida por la tierra. Si a todo esto le añades el poético detalle de que era luna llena y noche despejada, tienes el cuadro completo.

—¿Y qué pasó?

—Nada. Que Engracia se dejó morir.

Rosa Montero, *La función delta*

SETENTA BALCONES Y NINGUNA FLOR

Setenta balcones hay en esta casa,
setenta balcones y ninguna flor.
A sus habitantes, Señor, ¿qué les pasa?
¿Odian el perfume? ¿Odian el color?

La piedra desnuda de tristeza agobia:
¡dan una tristeza los negros balcones!
¿No hay en esta casa una niña novia?
¿No hay algún poeta bobo de ilusiones?

¿Ninguno desea ver tras los cristales
una diminuta copia de jardín?
¿En la piedra blanca brotar los rosales,
en los hierros negros abrirse un jazmín?

Si no aman las plantas, no amarán el ave,
no sabrán de música, de rimas, de amor;
nunca se oirá un beso, jamás se oirá un clave...
¡Setenta balcones y ninguna flor!

Baldomero Fernández Moreno

5

BUENO, SÍ, PERO, SIN EMBARGO...

1.1./1.2.

Fíjate en cuántos tópicos se mencionan sobre los españoles en los diálogos.
Anótalos aquí.

1.1.

¿Verdad o mentira?

	V	M
1. Los personajes del primer diálogo están todos de acuerdo en que en España casi todo funciona mal.	☐	☐
2. El holandés opina que las cosas no funcionan tan mal como dicen.	☐	☐
3. Dos de los que hablan en el segundo diálogo piensan que la imagen de España que tienen los extranjeros ha cambiado.	☐	☐
4. Los turistas que han visitado España se dan cuenta de que las ideas que tenían sobre España son verdad.	☐	☐

1.2.

¿Verdad o mentira?

	V	M
1. Los niños se pasan el día jugando a la guerra porque ven muchas películas violentas en televisión.	☐	☐
2. Estos padres les compran juguetes bélicos.	☐	☐
3. Uno de los personajes dice que es normal que los niños jueguen a la guerra porque hoy en día hay demasiada violencia.	☐	☐
4. Los dos están de acuerdo en que los niños no se dan cuenta de nada aunque sean muy pequeños.	☐	☐
5. Uno de los personajes cree que a los padres les es muy difícil saber lo que hacen los niños en la escuela.	☐	☐
6. Dos de los personajes están totalmente de acuerdo sobre el origen de la violencia de los niños.	☐	☐

1.

Lee estos textos y responde después a las preguntas:

──────────── CARTAS AL DIRECTOR ────────────

Demasiado inglés

Después de residir durante varios años en Australia observo con un poco de enfado la cantidad de palabras inglesas que innecesariamente utilizan los periodistas españoles. Sin ir más lejos, en su número 706 usaron las siguientes: cash flow, chance, supporters, affaire, lobby, lunch, in, out, kitsch, jet-set, beautiful, cream, pub, slack-jack, brandy, know-how, luthiers, a go-gó, british, of course, topless, rallies, trekking, campings, ferry, pony, slips, rocky, jogging, walkman, VIPS, pressing, comic, stand, public school, elepé (LP), gay...

¡En un solo número! Bueno, creo que se están pasando, ¿no? Si tanto les gusta el inglés, publiquen su revista en este idioma, y si el problema es que sus redactores están un poco «peces» en castellano, pues que vuelvan a la escuela a repasarlo un poco; pero, por favor, dejemos de ser tan quijotes y tengamos un poco más de amor propio. Nuestro idioma no es tan pobre que haya que estar usando palabras inglesas continuamente. Luego, al final, claro, para los españoles ir a correr un poco es ir a hacer «footing».

José Luis Anguix
Valencia

1. ¿Cuál es la idea fundamental de la carta del Sr. Anguix?

    a) Que el español no es un idioma rico.

    b) Que los españoles son unos quijotes.

    c) Que los periodistas españoles no deben usar palabras de otros idiomas.

2. Según el Sr. Anguix, una de las causas fundamentales del problema que él comenta en su carta reside en:

    a) la gran influencia de la cultura de habla inglesa en el resto del mundo.

    b) el poco amor propio que tienen los españoles.

    c) la pobreza del idioma español.

3. ¿De dónde saca estas palabras?

    a) son palabras que utilizan frecuentemente los españoles.

    b) son palabras que aparecen en un número de Cambio 16.

    c) son palabras frecuentes en la prensa escrita.

Contesta por escrito a esta carta expresando tu opinión.

Piensa en: − si una lengua se empobrece cuando recibe palabras de otra lengua.
  − si esto mismo sucede en tu propia lengua.

5.

¿Verdad o mentira?

Bazofia española

Respecto al extra vacaciones (CAMBIO16, n.º 706). El sol: lo mejor. La tortilla de patatas: no la quieren por pringosa. Los españoles de actitud abierta, hospitalarios, generosos: todo esto lo son los que nunca han visto un turista. El chocolate con churros: esto sólo en dos o tres ciudades. Los paradores: viejos castillos, monasterios o antiguos hospitales, incomodísimos. Las frutas: son de vergüenza. El pescado: el pescado fresco no existe y menos en el Mediterráneo. El tabaco negro: no les gusta. El tapeo: el turista toma fresas con nata. Las cerámicas: las compran, pero en Olot no las hay. Sí en La Bisbal, a unos diez kilómetros de allí. La paella: el porqué dicen que la comida española es mala, lo que sirven por ella es verdadera bazofia. Granada: lo mejor. El jamón de Jabugo: no lo aprecian. El jerez: sólo lo aprecia el inglés. El ligue: esto está en todo el mundo, parece ser que los españoles sólo ligamos en agosto. La cerveza: para los extranjeros, malísima; en realidad no sabemos fabricar ni la Carlsberg...

José Pujol
Barcelona

El autor dice que:

	V	M
1. Suele haber pescado fresco en el Mediterráneo.	☐	☐
2. Todos los españoles son hospitalarios, generosos, abiertos.	☐	☐
3. Es frecuente ver a un turista tomándose unas copas en un bar.	☐	☐
4. El español liga mucho todo el año.	☐	☐
5. A los extranjeros no les gusta la cerveza española.	☐	☐
6. Hay chocolate con churros en todos los bares españoles.	☐	☐

Si has visitado España, contrasta tus experiencias con el contenido de esta carta.

¿Con cuál de estas cartas estás de acuerdo? Escribe explicando tus opiniones e indicando en qué estás de acuerdo y en qué no.

Más destape, por favor

CAMBIO16 ha publicado las cartas de dos ciudadanos que se alarmaban ante la posible programación de films «porno» por Televisión Española, porque esto «aumentaría la criminalidad». Si es eso lo que les preocupa, tranquilícense: la criminalidad sexual ha bajado en los países que han liberalizado la «pornografía», incluida España.

De ahí que Castilla del Pino pidiera más «destape» para mejorar nuestra vida sexual. La libertad educa, la represión crea desviados y criminales. Como miembro de varias asociaciones sexológicas, me ofrezco a quien lo desee para documentar y ampliar estos hechos.

Martín Sagrera
Madrid

Porno, no

Como española que desea una sociedad sana y pacífica, me dirijo a ustedes para expresarles mi más profunda repulsa por la inclusión en TVE de programas a base de películas pornográficas, que nada bueno aportan.

Carmen Velarde González de Aguilar
Madrid

2.

Lee el texto y di si es verdad o mentira:

Los españoles y Europa

UNA encuesta llevada a cabo en nueve países europeos sirve para averiguar cómo se siente esta parte del mundo, una de las más desarrolladas y satisfechas. La felicidad, el trabajo, la salud, la familia, la religión, la tolerancia y la política varían de un país a otro, pero dentro de unos límites que nos permiten afirmar que el conjunto de valores constituyen realmente un sistema de cierta homogeneidad, lo que conocemos como Europa occidental.

Los españoles en según qué temas aparecen más cercanos a uno u otro país, aunque puede vislumbrarse una cierta afinidad meridional, sobre todo con Italia, en cuestiones religiosas, políticas y de costumbres. En el índice de práctica religiosa nos encontramos por encima de la media, superados por Irlanda. En cuanto a opción política, los latinos —italianos, españoles y franceses— están a la izquierda. Entre los europeos no ocurre que un país políticamente de derechas sea necesariamente religioso.

INGLESES, daneses y españoles son los más dispuestos a luchar por su país

En el balance de sentimientos familiares (bienestar, sosiego, irritación, etcétera) y de actitud ante el trabajo, los españoles se encuentran poco satisfechos en comparación con los daneses. Aquí los españoles damos la nota: somos los europeos que más repugnancia sentimos por el trabajo. El índice de salud, como medida constructiva de la felicidad, también nos deja malparados.

A los ingleses nos parecemos en el orgullo nacional y a los alemanes en la prioridad al mantenimiento del orden. También junto con ingleses y daneses somos los más dispuestos a luchar por nuestro país. Nos inclinamos más por la igualdad que por la libertad, damos mucha importancia al salario, pero no nos sentimos explotados como otros países.

Pese a todo, los españoles y los otros latinos nos sentimos menos satisfechos que la media europea.

J. M. A.

CAMBIO16/ N.° 696

Cómo somos los europeos

	Europa	Bélgica	Dinamarca	España	Francia	GB	Holanda	Irlanda	Italia	RFA
Índice de urbanización (100-300)	195	169	215	188	199	200	172	205	182	207
Viven en casa individual %	56	85	61	37	54	87	76	89	42	43
Afiliados a organizaciones %	40	42	62	31	27	52	62	53	26	50
Casados %	63	67	60	65	65	66	66	52	62	60
Número de personas en el hogar %	3,24	3,21	2,62	4,01	3,06	3,07	3,12	4,01	3,53	2,88
Jóvenes que viven con sus padres %	64	67	33	76	52	64	50	73	80	58
Edad de renta máxima	33,8	28,4	39,7	25,8	39,6	34,4	40,0	24,5	27,4	36,3
Edad al fin de los estudios	16,5	16,7	18,7	16,0	16,5	15,9	17,1	16,1	14,7	18,6
Índice de práctica religiosa	324	361	85	516	157	202	349	977	464	304
Confianza en la Iglesia (índice)	258	276	248	259	250	258	231	327	271	251
Arriesgarían la vida por su fe %	4	3	1	7	2	4	4	9	5	2
Índice de permisividad	270	261	282	268	317	262	311	212	238	264
Índice del balance de los sentimientos en familia	100	98	121	96	96	109	113	109	91	101
Índice del gusto por el trabajo	193	189	245	178	184	206	214	212	191	187
Índice del estado de salud	370	394	409	351	364	403	396	422	355	351
Desconfían de los demás	62	63	44	61	71	54	49	56	72	58
Evitan vecinos de raza diferente %	9	12	4	9	5	10	10	7	7	11
Evitan vecinos indeseables %	76	62	49	63	62	82	81	71	79	90
Orgullosos de pertenecer a su país (índice)	313	301	305	335	308	343	274	362	318	278
Posición en la escala izquierda-derecha	527	610	577	489	493	570	551	620	463	560
Índice de socialismo (100-300)	181	171	166	218	205	159	180	163	192	161
Índice de obediencia en el trabajo (100-300)	189	202	240	187	167	215	206	221	185	176
Prioridad al mantenimiento del orden %	41	25	38	58	31	32	37	40	46	49
En contra de la subversión %	22	17	24	9	18	22	24	18	18	38
En favor del desarrollo de la individualidad (100-300)	278	273	284	281	286	267	269	279	290	272
No se asocian %	60	58	38	69	73	48	38	47	74	50
Índice de internacionalismo	221	177	210	214	232	226	218	184	236	210
Lucharían por su país	43	25	59	53	42	62	44	49	28	35
Prefieren la libertad %	49	46	50	36	54	69	56	46	43	37
Índice del interés por la política (100-400)	216	177	235	193	244	216	223	189	181	243
Encuentran importante el salario %	64	67	48	78	53	60	54	66	66	72
Se sienten explotados, índice (100-300)	173	160	145	158	188	187	148	158	165	172
Índice del estado de salud (100-500)	370	394	409	351	364	403	396	422	355	351
Índice de la satisfacción general (100-1.000)	706	736	821	660	666	767	771	782	662	725
Satisfacción de la vida de familia	776	781	869	743	766	844	814	832	734	756
Satisfacción del empleo	729	771	839	692	683	772	779	795	733	705
Satisfacción de la situación económica	658	718	736	593	612	683	748	695	632	692

NOTA: Encuesta realizada en 1981 en nueve países europeos y por encargo de la Fundación Grupo Europeo de Estudio sobre los Sistemas de Valores, con sede en Amsterdam. Publicado en el libro «¿Qué pensamos los europeos?», editado por Mapfre.

5.

	V	M
1. Italia y España se parecen mucho en algunas cuestiones.	☐	☐
2. Somos el país más religioso de los nueve.	☐	☐
3. En líneas generales, los países mediterráneos son más de derechas que de izquierdas.	☐	☐
4. Los españoles somos los europeos que más nos gusta el trabajo.	☐	☐
5. Para los españoles es más importante la igualdad que la libertad.	☐	☐
6. Los españoles no se sienten explotados.	☐	☐
7. Los españoles no están contentos con el tipo de vida.	☐	☐

3.

Pon los verbos en pasado:

1. ● ¿Y usted dónde (APRENDER) _____ español? ¿En la escuela?

   ○ No, entonces no (SER) _____ posible estudiar español; el español como lengua

   extranjera en la enseñanza secundaria de mi país se (INTRODUCIR) _____ mucho

   después. Yo (EMPEZAR) _____ a estudiarlo después de terminar la carrera, cuando

   ya (TRABAJAR) _____ en esta empresa.

   ● Y, entonces, ¿cuál (SER) _____ el idioma que los jóvenes de su edad (PODER)

   _____ aprender?

   ○ Bueno, (TENER-nosotros) _____ tres opciones: (PODER) _____ elegir

   entre el inglés, el francés y el alemán y yo (ELEGIR) _____ el inglés.

2. ● ¿(VER-vosotros) _____ esta película? Dicen que es muy buena.

   ○ Sí. La (VER) _____ el fin de semana pasado, en Madrid.

3. ● Pero usted ya (ESTAR) _____ aquí la semana pasada y (HABLAR) _____

   con el Sr. Sancho, ¿no?

   ○ Sí, (VENIR) _____ hace unos días, pero no (PODER-yo) _____ hablar

   con él porque (ESTAR) _____ ocupado.

4. ● ¿(VER) _____ esta mañana al Sr. Uranga?

○ No. (IR-yo) _____ a su oficina, pero él no (ESTAR) _____. Le (DEJAR-yo)

_____ una nota, pero aún no me (LLAMAR)_____.

4.

Completa las siguientes frases con:

$$lo/eso \begin{cases} de \\ de\ que \\ que \end{cases}$$

1. _____ ha dicho Francisco no es en absoluto cierto. Te lo aseguro.

2. No estamos de acuerdo en _____ tengamos que quedarnos una hora más cada día.

3. Ya he hablado con la Sra. Vilas y me ha comentado que _____ el seguro ya está solucionado, que no nos preocupemos.

4. _____ ir a casa de tus hermanos me parece una idea estupenda. Me apetece mucho.

5. _____ en muchísimos países no se respetan los derechos humanos está clarísimo.

6. _____ tener que trabajar algunos domingos en el hospital debe ser un poco pesado, ¿no?

7. Yo, la verdad, estoy totalmente en contra de _____ ha propuesto Maribel Santillana.

8. Explícame _____ te vas a vivir una temporada al extranjero. ¿Es cierto?

5.

Ayer no fuiste a trabajar porque te encontrabas mal. Varias personas te llamaron por teléfono. Cuando esta mañana llegas a la oficina tu compañero te dice:

1. Te llamó Angel Fuentes. Llámalo tú a su oficina entre las tres y las cinco de esta noche.

2. Te llamó Marisa y Toño, que se van a Sevilla. Te escribirán desde allí. Si hay algo urgente para ellos, envíaselo a su dirección en Sevilla.

3. Te llamó Hans. Está en Barcelona, pero mañana vuelve a Munich. Llámalo al 327 59 86.

4. Te llamó Clara García y volverá a llamarte antes de mediodía. Es algo muy importante.

O también te podría decir:

1. Ayer te llamó Angel Fuentes y dijo que _____

_____

5.

2. _____

_____

3. _____

_____

4. _____

_____

6.

Une las frases utilizando las siguientes partículas:

aunque
y, por eso,
y, sin embargo,
sino que
porque
para
cuando
así que
o sea que

Me dijo que estaría en casa.

No está en casa.

Ayer me dijo que estaría en casa esta tarde y, sin embargo, no está.

1. Mariano, el sobrino de Pilar, está muy gordo.
   No come mucho.

_____

2. No es que sea muy difícil este trabajo.
   Es muy pesado.

_____

3. El concierto no fue en Oviedo.
   Fue en Zaragoza.

_____

4. Mañana llega César.
   Le daremos la noticia. Ya verás lo contento que se pone.

_____

5. Está enfermo.
   No ha ido a trabajar hoy.

_____

6. No pude hablar nada con él.
   Yo tenía mucha prisa.

_____

7. Este fin de semana me voy a la montaña.
   No podré ir a la reunión del sábado.

_____

8. He comprado lana.
   Quiero hacerme una bufanda.

_____

9. Ya son las diez de la noche y José Luis se acuesta pronto.
   Voy a ir a verlo a su casa. Tengo que hablar con él.

_____

10. Me dijeron que añadirían un ejercicio más.
    No lo han hecho.

_____

7.

Pon los verbos en su forma correcta:

1. ● Cuando (PODER) _____ ahorrar un poco, me compraré una máquina de escribir.

   ○ Pero si tienes una que (FUNCIONAR) _____ muy bien.

   ● Sí, pero no es que (FUNCIONAR) _____ mal, es que (SER) _____ muy

   antigua. Quiero una que (BORRAR) _____.

2. ● Oye, por favor, cuando (VOLVER-TÚ) _____ a casa, pasa por el supermercado y

   cómprame un bote de café; pero que (SER) _____ descafeinado, ¿eh?.

   ○ No sé si podré porque hoy (SALIR) _____ un poco tarde y a esa hora es posible que

   no (ENCONTRAR) _____ nada abierto.

5.

3. ● ¡Qué raro que no (HABER) _____ nadie en casa!

   ○ Sí, es muy raro porque cuando (SALIR-ELLOS) _____ siempre cierran todas las

   ventanas, y ahora, sin embargo, (ESTAR) _____ todo abierto. Vuelve a llamar, a lo

   mejor no nos (OIR-ELLOS) _____.

5. ● Yo que tú, no se lo (DECIR) _____. Se (ENFADAR) _____.

   ○ Pues aunque se (ENFADAR) _____, se lo diré.

6. ● No puede ser que nunca (LLEVAR-TÚ) _____ tabaco y siempre (FUMAR)

   _____ del paquete de los demás. A ver si algún día invitas tú.

7. ● Es cierto que cuando (ENFADARME) _____ digo cosas que no (PENSAR)

   _____. Pero también es verdad que se me (PASAR) _____ enseguida.

   Además, me enfado muy pocas veces, ¿no?.

   ○ Que se te (PASAR) _____ enseguida, sí; pero eso de que te (ENFADAR)

   _____ muy pocas veces...

5.1.

Repite:

1. Perdón, solo quería añadir una cosa.
2. Sí, sí, eso es evidente.
3. No, eso no es verdad.
4. No sé si le he entendido bien...
5. No entiendo lo que quieres decir.
6. Sí, claro, por supuesto, eso es un hecho.
7. No, claro que no.
8. Pues yo no lo veo así en absoluto.

5.2.

MODELO: lo que ha dicho Antonio
¿Tú cómo ves lo que ha dicho Antonio?

1. lo que ha dicho Antonio
2. lo de empezar más temprano
3. este tema
4. lo de irnos mañana
5. lo de vender el coche
6. eso que pasó el otro día
7. lo de que hablemos con Núñez

5.3.

Repite:

1. Ésta es la mejor solución, creo yo.
2. Ésta es la mejor solución, para mí.
3. Ésta es la mejor solución, a mi modo de ver.
4. Ésta es la mejor solución, me parece a mí.

5.4.

Repite:

1. Para mí no tendría que haberlo hecho.
2. A mi modo de ver no tendría que haberlo hecho.
3. Tengo la impresión de que no tendría que haberlo hecho.
4. Estoy convencido de que no tendría que haberlo hecho.

5. Lo que oyes

5.5.

      MODELO: siempre llega tarde
                  No, no es cierto que siempre llegue tarde.

1. siempre llega tarde
2. los precios han subido mucho
3. tienen problemas económicos
4. conduce bien
5. es una persona muy especial
6. es un buen médico
7. es una ley injusta
8. va a presentarse a las elecciones

5.6.

      MODELO: no tiene mal genio/a veces se pone muy nervioso
                  No es que tenga mal genio. Es que a veces se pone muy nervioso.

1. no tiene mal genio/a veces se pone nervioso
2. no hace mucho calor/hay mucha humedad
3. no estoy enfadado/estoy cansado
4. no es un trabajo complicado/es aburrido
5. no es antipático/es muy tímido

5.7.

      MODELO: con José Luis
                  Yo estoy totalmente de acuerdo con José Luis.

1. con José Luis
2. con usted
3. con lo que dice Pedro
4. con lo de ir en tren
5. con lo que ha dicho el Sr. Santos
6. con lo de volver a reunirnos

5.8.

      MODELO: nos vamos el sábado
                  Yo, en eso de que nos vayamos el sábado, no estoy de acuerdo.

1. nos vamos el sábado
2. hay que explicárselo al Sr. Rojas
3. tenemos que volver a hablar de este tema
4. lo pagamos todo nosotros
5. vendrá el Sr. Martín a ayudarnos

5.9.

      MODELO: con eso
                      Yo no estoy en absoluto de acuerdo con eso.

1. con eso
2. con lo que dice Jaime
3. contigo
4. con que se lo digamos a Tomás
5. con lo de que es la única solución
6. con lo que opina este periodista

5.10.

      MODELO: en Bolivia/en Colombia
                      No fue en Bolivia sino en Colombia.

1. en Bolivia/en Colombia
2. Susana/su hermana
3. ella/su secretaria
4. en Argentina/en Chile
5. Ramón/Luis

5.11.

Coloca cada palabra en la columna adecuada según el acento:

↙ _____ _ _	↙ _____ _ _	↙ _____ _
1. *atómico*		
2.		
3.		
4.		
5.		
6.		
7.		
8.		
9.		
10.		

5.12.

Escucha y contesta por escrito qué opinan, en qué están de acuerdo y en qué no:

1. _____
2. _____
3. _____
4. _____
5. _____
6. _____
7. _____
8. _____
9. _____
10. _____
11. _____
12. _____
13. _____
14. _____
15. _____

Sociedad

Yo no soy ésa

Las mujeres españolas no se identifican con su imagen publicitaria

JUANA Martínez Abad, treinta y ocho años, ama de casa, madrileña, cada vez que ve un anuncio de detergentes en televisión se emociona, no lo puede remediar. «Me veo en el anuncio. He hecho la prueba del cambio de detergente y me pasa igual: el nuevo siempre lava más blanco», declara satisfecha. Después de esta emocionante experiencia la felicidad de Juana culmina en la lavadora. Vencida en la ropa la suciedad que acumula su marido, mecánico, y su hijo, un muchacho de doce años, revoltoso y juguetón, la vida no parece ofrecerle penalidades mayores.

María Azucena, bilbaína, en una carta a un consultorio femenino va por otro lado: «Cuanto más anuncian un producto en la televisión menos lo compro, ya que la publicidad de algún modo tenemos que pagarla.»

Cada día, a cualquier hora, otras mujeres con el mismo aspecto de Juana y Azucena, un tanto gruesas, con cierto aire de felicidad doméstica, en la radio, en la televisión y en los periódicos insisten hasta el aburrimiento con algo nuevo.

Un cebo comercial

Siempre hay una mujer detrás de cada consejo publicitario.

Sin embargo, la primera vez que apareció un anuncio en un medio de comunicación, en el *Mercurio Britannicus*, de Inglaterra, en 1625, tratando de vender un libro, no había otra referencia que la del libro en promoción. Aunque es probable que si la imprenta hubiera estado más desarrollada en aquellos tiempos se habría incluido lo único que faltaba en el anuncio: la imagen de una mujer, el único cebo comercial que ha permanecido invariable desde que alguien descubriera su gran poder de convicción.

Actualmente, en España, la mujer con poder adquisitivo o de decisión de compra mueve como «público objetivo» de la publicidad el 89 por 100 de los 30.000 millones de pesetas que invierten en anunciar sus productos los sectores de cosmética, alimentación, perfumería, detergentes y almacenes.

Pero incluso en otros sectores que tradicionalmente no tienen como destinatario exclusivo a la mujer su imagen es insustituible como reclamo. Da igual que se pretendan vender coches, calzoncillos, ordenadores, hojas de afeitar

o cigarros puros. Lo normal es que en el mensaje publicitario aparezca una mujer, como una insinuación sutil en algunas ocasiones, aconsejando felicidades sin cuento, y en otras como algo que casi parece incluirse en el lote con el producto en venta.

El modelo no suele ser muy variado. Para los creadores publicitarios sólo parecen existir dos tipos de mujeres: una con aspecto de estúpida, eminentemente charlatana y obsesionada hasta

actual, según se desprende de un estudio realizado por TECOP (Técnicos de Comunicación y Promoción), una agencia madrileña especializada en comunicación e imagen.

«Para vender detergentes —afirma Luis López Mel, sociólogo, jefe del equipo de investigación de la encuesta— no es imprescindible utilizar el modelo de las señoras gordas y chismosas, auténticos prototipos del sedentarismo mental.»

La obsesión de las mujeres por la blancura de la ropa en el hogar
Una imagen que no se corresponde con los deseos de la mayoría

la neurosis por la blancura de su ropa y el brillo en su hogar. Y otra, con una imagen deslumbrante, sofisticada y apabullantemente *sexy*, lo más parecido a una rara especie.

¿Pero existen en la realidad esas mujeres de los anuncios? Aparentemente, no. Pese a que en general la mujer acepta el papel de protagonista casi exclusivo de la publicidad y a que los resultados comerciales suelen ser rentables para el producto, parece existir una gran distorsión entre la imagen de la mujer reflejada en los anuncios y la mujer real en sus papeles sociales.

Las mujeres españolas consideran en un 73 por 100 que su imagen publicitaria no se corresponde con su imagen

Según el sondeo —realizado a base de entrevistas personales, reuniones de grupo y estudio de anuncios y fotografías que toman como protagonista a la mujer—, la mujer hasta los veintidós años rechaza en un 25 por 100 la imagen propia en los anuncios.

Junto a este rechazo aparece otro, generalizado en la juventud, hacia la publicidad como símbolo de una sociedad de consumo y hacia la configuración social que trasciende en la publicidad, de la que pretenden huir los jóvenes en la actualidad o en el futuro: imagen de mujer que limpia el hogar, servilismo, mantenimiento exclusivo de funciones de hogar, inculta, mentalmente cuadrada.

5. Al pie de la letra

La mujer real y la mujer del anuncio

	Hombres (%)	Mujeres (%)
Coinciden mucho	21	8
Coinciden bastante	30	19
Coinciden sólo a veces	33	24
Coinciden poco	12	31
Coinciden muy poco	4	18

Los que creen que no coincide (%)

Sexo		Clase social				Edad				
Varones	Mujeres	Alta y media alta	Media	Media-baja	Baja	17-22	23-28	36-45	46-55	56 y más
49	73	42	32	19	7	25	21	16	8	4

Habitantes de poblaciones

Capitales	De 50 a 500.000 hab.	De 10 a 50.000 hab.	Menos de 10.000 hab.
44	28	17	11

Entre los veintitrés y veintiocho años el porcentaje de rechazo disminuye —un 21 por 100—, quizá como consecuencia de la gran presión que ejercen en este periodo situaciones —niños pequeños en la primera etapa matrimonial o la primera etapa cocina-hogar— que posteriormente se pierden.

Cuando la mujer se encuentra en un periodo de mayor madurez física y mental y empieza a plantearse necesidades de autorrealización que la alejen de las labores clásicas, el rechazo a la imagen reflejada en la publicidad aumenta, llega a un 26 por 100. Posteriormente, desde esa edad hasta los cin-

cuenta y cinco años, disminuye de modo progresivo hasta sólo un 4 por 100.

«Curiosamente —indica el director de la encuesta— la presencia en publicidad de la mujer deseada no es rechazada por el colectivo femenino. Esta

Sociedad

imagen la aceptan el sesenta y nueve por ciento de las mujeres en edad inferior a los cuarenta años, aun cuando creen que carece de profundidad en el mensaje. Es decir, que la veracidad en lo que ofrece es cuestionada, aparentemente.»

La mujer hogareña es aceptada generalmente por otras mujeres mayores de cuarenta años en determinados productos, especialmente en los de alimentación.

Pero, de una u otra manera, la publicidad influye generalmente en la decisión de compra, aunque aparentemente no se reconoce.

Pese a que los anuncios de detergentes son los que menos gustan sí venden.

La intuición estética de la mujer cuidaría los detalles de puesta en escena de un anuncio, donde aparece ella, tanto como podría hacerlo el más riguroso publicista. Un 72 por 100 de las mujeres consultadas recuerdan algún anuncio que han visto recientemente y que le ha molestado por el trato o situación que se da a la protagonista, o incluso por el ambiente donde se desarrolla la acción.

Pero aquí parece surgir el conflicto, el contraste entre la realidad y sus propios reflejos publicitarios (nivel de adecuación) no suficientemente claro.

«La publicidad sólo refleja la sociedad que le rodea, sus modelos, sus ape-

tencias, sus tendencias, sus logros y sus miserias», afirma Fernando Martínez-Regalado, comunicólogo y director de agencia publicitaria.

«No se puede culpar a los publicitarios —añade Martínez-Regalado— ni a la propia publicidad de no reflejar realmente la imagen actual de la mujer. Quizá sea la propia situación de la mujer la que no está aún, en España, tratada con la igualdad de derecho que proclaman los distintos organismos creados para su defensa.»

Todos los estudios sociológicos en el campo publicitario —según la agencia

Influencia del anuncio

	Hombres (%)	Mujeres (%)
Muy grande	31	16
Grande	33	28
Mediana	26	40
Pequeña	9	12
Muy pequeña	1	4

TECOP, una de las primeras que se ha atrevido a sondear en terrenos esenciales de la comunicación— vienen a coincidir en que la mujer, con objeto de no ser señalada como puritana, viene a aceptar la imagen sensual, atractiva, *sexy*, como símbolo de la liberación femenina, lo que supone para la mujer consumidora

no rechazar esta imagen. Aunque existen otras connotaciones, un tanto trasnochadas, que molestan o «no llegan» a la mayoría de las mujeres, especialmente al grupo de amas de casa y, concretamente, en determinados productos para el hogar, los jabones, por ejemplo.

"No puede hablarse en absoluto de manipulación, de falta de ética, ni de camuflar la realidad en los anuncios de detergentes. Son quizá los únicos anuncios que no engañan", declara a CAMBIO 16 Javier Ibargüengoitia, director adjunto de *marketing* de *Camp, S. A.,* la firma fabricante de detergentes como *Colón, Elena, Coral* y *Flor,* entre otros.

Según revela a esta revista el directivo de *Camp, S. A.,* la mayoría de los anuncios de detergentes, ésos en los que aparece una señora un tanto charlatana, deslumbrada siempre por la suprema blancura de sus ropas, suelen rodarse con cámara oculta, sin guión, reflejando la opinión espontánea de la protagonista sobre el nuevo producto.

«Aquí de lo que se trata es de vender un producto —añade Javier Ibargüengoitia— y, naturalmente, se valora el público a quien va dirigido, el público objetivo, se hacen estudios muy ajustados, los publicistas somos muy poco impulsivos. Para hacerlo creíble se sitúa el producto donde puede interesar. Lo increíble sería presentar a Lady Di anunciando detergentes.»

Esta opinión coincide con la de Pilar López, directora de la revista *La mujer*

Atractiva

El reclamo erótico vende
Una técnica publicitaria eficaz

para ti, que eres una mujer de mundo...

Mensaje e imagen adecuados (%)

	Hombres	Mujeres
Sí	37	28
A veces	42	36
No	21	46

Sociedad

Anuncios dentro de un orden

A partir del próximo enero, Televisión Española y las emisoras de radio estatales censurarán previamente todos los anuncios. Será una censura blanda, basada en principios, con normas muy ambiguas para su interpretación.

Las nuevas normas básicas, aprobadas el pasado 16 de septiembre, inspiradas, según sus promotores, en principios de protección al consumidor, tocan todos los palos: las ideas filosóficas, religiosas y políticas; la agresividad, la infancia y especialmente la mujer.

"El respeto a la persona –dice uno de los principios– y en especial a las mujeres, que frecuentemente se ven reducidas a un mero objeto erótico por los contenidos publicitarios, exige la defensa de la igualdad de todas las personas."

Según esta idea, aunque no se menciona específicamente a la mujer, "no se admitirán aquellos anuncios en los que se discrimine a la persona humana, reduciéndola a un papel de sumisión, pasividad o inferioridad respecto al otro sexo, a mero objeto erótico o a cualquier otra situación degradante para la condición humana".

Hasta ahora, RTVE censuraba los *spots* en los que la mujer fuera presentada de forma escandalosa o de mal gusto, según los criterios morales y estéticos del ente público. Por ejemplo, se censuró un *spot* de *Kas* en el que aparecían modelos en mini-bikini, y otro del champú *Flex,* de Revlon, en el que aparecía una atractiva muchacha diciendo: "Soy supersexy."

"Esta es la decisión más importante tomada por el consejo de administración de RTVE –dice su secretario, Mariano Muñoz Bouzo, refiriéndose a la aprobación de las normas básicas de publicidad– desde que se constituyó."

Pero los publicistas, pese a que estarán representados en la comisión de control, junto con los anunciantes, consumidores y expertos nombrados por RTVE, no opinan igual.

No obstante, el ejemplo ha cundido. La EITB-RTVV, más conocida como Televisión vasca, ha aprobado también una norma similar, aunque más concreta, en la que especifica que "rechazará todo anuncio en el que el hombre o la mujer aparezcan como inferiores uno con relación al otro, o en situación degradante, o en el que sean considerados meros objetos eróticos"

feminista, de Madrid. «¿Por qué tienen éxito esos *spots*? —se pregunta Pilar López—, pues por algo simple: es una realidad triste. Existen muchas mujeres que se pasan la mayor parte del tiempo comentando con las vecinas cómo les queda la ropa o cómo están los precios en el mercado.»

Pero lo más grave, según la feminista Pilar Muñoz, no consiste en esa estereotipación de mujer boba que parece desprenderse de cada protagonista en los *spots* de detergentes y jabones. «Lo peligroso —indica— es el mensaje subliminal que encierran otro tipo de anuncios, estéticamente más agradables, esos de señora bella y hermosa. Nos están enseñando a cumplir un papel en la vida. De reina del hogar en la cocina en la publicidad de productos para utilización doméstica, y de objeto pasivo erótico en los anuncios referidos a la belleza permanente.»

De acuerdo con esa manipulación que muchas mujeres adivinan en las técnicas publicitarias, excesivamente centradas en el protagonismo de la mujer, Pilar Primo de Rivera, sacrosanto símbolo de la mujer nacional-católica española por excelencia durante sesenta años, podría haber inspirado a toda la

La mujer moviliza
Su imagen, el mejor negocio

legión de profesionales de *marketing,* diseño, creación, moda, imagen y fotografía que campan actualmente por los terrenos de la publicidad.

«Las mujeres —decía Pilar Primo de Rivera refiriéndose a todas, incluidas las españolas— nunca descubren nada, les falta, desde luego, talento creador, reservado por Dios para inteligencias varoniles, nosotras no podemos hacer nada más que interpretar, mejor o peor, lo que los hombres nos han hecho. Porque la única misión que tienen asignada las mujeres en la tarea de la patria es el hogar.»

Isabel Romero, subdirectora general del Instituto de la Mujer, no cree que las cosas sigan todavía así. En su opinión, el noventa por ciento de las amas de casa españolas rechazan los es-

quemas que los publicistas tienen de ellas.

«La publicidad actual —declara Isabel Romero— es sexista y es necesario cambiar esa mentalidad. Nosotras no estamos contra la publicidad, que es algo esencial en una economía de mercado, sino contra la manipulación de la mujer, que ha hecho sistemática la utilización del cuerpo femenino como reclamo erótico-comercial.»

Para empezar, el Instituto de la Mujer está realizando un estudio, cuyos resultados se conocerán a finales de año, sobre la imagen de la mujer en la Prensa. «Si se fija uno bien, la mujer aparece porque se apalea o viola a alguna, o por sucesos similares; rara vez por motivos positivos», señala Isabel Romero.

Pese a que la evidencia ofrece a las mujeres españolas argumentos suficientes para tomarse la justicia por su mano, parece que la sangre no llegará muy lejos.

Se tratará de controlar, en los anuncios de televisión y radio estatales, una adecuada imagen femenina (ver recuadro), y se seguirá estimulando a los publicistas con muy buenas intenciones, a través del premio anual a la imagen de la mujer en los medios de comunicación para aquellos anuncios que menos la discriminen o que exalten sus valores reales.

«Aquí no podemos soñar —reconoce Isabel Romero— con leyes como la que ha presentado en Francia Yvette Rondy, ministra de los Derechos de la Mujer, la ley Antisexista. Pero, incluso allí, desde marzo no ha conseguido aprobarse el proyecto, porque las presiones económicas son muy fuertes. Nosotros lo que debemos hacer es reflexionar sobre la cuestión y tratar de llegar a una mentalidad adecuada, y a lo sumo a una orden ministerial si las cosas se degradan en perjuicio de la mujer.»

Los publicistas consultados por esta revista creen que la publicidad está paliando la lucha machismo-feminismo, pero la batalla no va con ellos. En todo caso, reflejan los resultados.

Sebastián Moreno

Encantados

¿Se puede decir todavía "**buenos días**"? Dar los "**buenos días**", "**buenas tardes**", decir "**muchas gracias**" o "**hasta la vista**", ¿son cosas superadas? La impresión que tiene mucha gente al andar por la calle es de que todo lo que han aprendido en este sentido no vale para nada. Y sin embargo, cortesía, urbanidad, como *politesse* en francés, son términos que guardan relación con la idea de la ciudad, la civilización. ¿Es que todos los avances en este terreno han sido baldíos?

Antes, nadie sentía la menor vergüenza por hacer las necesidades en público; las parejas hacían el amor a la vista de cualquiera; ricos y pobres comían la carne con los dedos, sorbían la sopa de la sopera y si algún trozo no les gustaba, lo devolvían a la olla común.

Los cortesanos domesticados

En el Renacimiento, el panorama cambia radicalmente. Guerreros violentos, señores feudales dispuestos en todo momento a empuñar el arma, acostumbrados a dejarse llevar por sus impulsos, se imponen ciertas obligaciones y limitaciones durante sus comidas. Poco a poco, se transforman en cortesanos domesticados. Estos guerreros convertidos en cortesanos deben olvidar que el valor es la mayor virtud y aceptar el arte de fingir, la observación psicológica y el control de sí mismo.

¿Cuántos hombres ceden el paso a una mujer en una puerta? ¿Cuántas mujeres se sienten ofendidas si ello ocurre? ¿Se acuerda usted, jovenzuelo, de ceder el asiento del autobús o del metro a una persona mayor? ¿Le importa que sus vecinos de mesa hablen con la boca llena?

¿Procura colarse en la primera cola que encuentra en el cine, en el supermercado, en el fútbol? ¿Es la cortesía un acto sacrificado o natural? ¿Es más una cuestión de paciencia que de buena educación? ¿La cortesía hace la convivencia más o menos difícil? ¿Qué piensa nuestra sociedad de lo que es una costumbre? ¿Cuáles fueron los orígenes de determinados comportamientos corteses? ¿Están superados estos comportamientos? ¿Está la cortesía en decadencia? A lo largo de estas páginas intentaremos reflexionar sobre ello.

Un ejemplo que ilustra este cambio de mentalidad es el diferente modo de usar el cuchillo. El cuchillo, que durante mucho tiempo había sido un arma y el único instrumento que se empleaba en la mesa, se convierte en símbolo de peligro y de muerte. Este sentimiento acabará por convertirse en regla. En 1560, aparece un tratado donde se establece la norma vigente hasta nuestros días y según la cual, el cuchillo hay que ofrecerlo por el mango y no por la punta como se hacía antes.

"Pasar" de la cortesía

Los jóvenes de hoy, ni siquiera pretenden ser groseros: simplemente *pasan* de la cortesía. La buena educación, para gran parte de ellos, es sinónimo de hipocresía, convencionalismo y afectación.

Como explica Norbert Elias, detrás de todo este rechazo late un mito muy de nuestros días: la civilización se opone a la naturaleza. "**Nada más falso** —afirma este historiador—. **De ser así, jamás se hubiera impuesto. Las críticas actuales contra la civilización se ejercen en el interior de ésta. Se trata de suavizar algunas obligaciones que se habían vuelto asfixiantes, exageradas.**"

Otro sector crítico: el feminismo radical, y no nos referimos a ningún grupo en concreto. Para algunas mujeres, la gentileza masculina es un arma sutil utilizada por el hombre para perpetuar su dominación.

En *La civilisation des moeurs*, Norbert Elias sale al paso de esa crítica difusa según la cual los buenos modales son antidemocráticos. Dejamos al historiador alemán la última palabra sobre el tema. "**En las sociedades donde la desigualdad entre los grupos disminuye, se hace más necesario un mayor control sobre sí mismo. Cuando unos mandan y otros obedecen la cosa es muy sencilla: cada uno sabe lo que tiene que hacer. Cuando no hay situación de superioridad e inferioridad, hacen falta más atenciones y cuidados para entenderse con los demás y trabajar con ellos.**"

J.M. Garayoa.

5. Al pie de la letra

España mantiene la imagen tópica de país subdesarrollado

"España es un país rural, pobre, donde mandan el Ejército y la Iglesia". Esta es una de las conclusiones a las que llega una encuesta que los Ministerios de Cultura y Asuntos Exteriores están realizando en más de veinte países de todo el mundo. Tiempo ha tenido acceso a los primeros resultados del sondeo.

LOS estudiantes de más de veinte países de Europa, África, Latinoamérica, Japón y Estados Unidos usan libros donde, al hablar de España, se repite la imagen del cura con sotana, guardias civiles y niños semidesnudos que caminan descalzos con un mendrugo de pan en la mano, entre otros tópicos. La encuesta, que terminará el próximo otoño, señala, por ejemplo, que en Estados Unidos muchos textos nos mezclan con los países latinoamericanos. Una parte de los estadounidenses ignora que España existe y la inmensa mayoría no sabe nada de nosotros ni dónde estamos en el mapa o se pregunta cosas tales como si conocemos el champú.

En otro informe, encargado por el Ministerio de Cultura a un grupo de lingüistas y más de un centenar de profesores repartidos por todo el mundo, y a punto ya de hacerse público, se dice que España equivale a Andalucía. La información de nuestro país en el extranjero está distorsionada, ya que las noticias que publican los medios de comunicación foráneos son negativas, como las del terrorismo. En otras etapas políticas anteriores, los gobiernos españoles eran más conocidos que los de ahora.

Todos los encargados de las relaciones culturales de España con el exterior coinciden en señalar la necesidad de cambiar la imagen tercermundista de nuestro país, que ha alarmado al propio presidente del Gobierno. Las naciones que más información tienen de nosotros son, por este orden, Francia, Alemania y Suecia, y es precisamente en éstas donde más extendida está la imagen del español como persona impuntual, galante, apasionada, hedonista, hospitalaria, simpática, espontánea, personalista e individualista. También se repiten los tópicos del sol, la guitarra, la buena comida, la siesta y la libertad de la vida cotidiana.

Los extranjeros que más se interesan por España tienen entre veinticinco y treinta años, y son estudiantes, profesores o amas de casa. Los empresarios y ejecutivos prestan más atención a Hispanoamérica. El interés por aprender nuestro idioma no obedece a razones de procedencia familiar latina.

Por ejemplo, en Japón se nos ve como una nación exótica, pero el número de universitarios que aprenden castellano es superior al de alumnos de cualquier otra lengua y crece constantemente.

El país que nos ve con más simpatía es Suecia. En nuestra vecina Francia, las opiniones están divididas, pero hay un alto porcentaje de la población que nos mira con recelo o antipatía. Otros datos reveladores de este informe son, por ejemplo, que los extranjeros se interesan más por la literatura hispanoamericana que por la española, aunque conocen mejor nuestra vida cotidiana. Respecto a otras artes, el interés mayoritario es por el cine, quizá debido al boom cinematográfico de los últimos años en nuestro país. Dentro de la música, la atención es casi exclusiva por el flamenco. Los españoles más conocidos entre los extranjeros que tienen algún conocimiento sobre España son Carmen (por la película de Saura), Miró, Dalí, Gaudí, Picasso, Plácido Domingo, Yepes, Cervantes, Goya y Velázquez.

Infraestructura deficiente

La mayoría de los encuestados no ha visitado nuestro país, pero tiene intención de hacerlo. Especialmente, los estudiantes no universitarios japoneses. En Japón, España se ve como país europeo singular, de cultura superior a las de Francia, Alemania y Gran Bretaña, y equiparable a la de Italia.

Por último, hay que señalar que la imagen, especialmente los tópicos, de España cambia cuando un extranjero nos visita.

Todo este estado de deterioro de cara al exterior se debe, entre otras cosas, a que el servicio exterior español sufre una agobiante penuria de infraestructura y de medios económicos. En el extranjero, casi la mitad de las representaciones diplomáticas y

consulares españolas –92 de las 191 existentes– carecen de dotación económica y administrativa para promocionar nuestra cultura. Las 99 restantes sí tienen, pero con un presupuesto medio anual de 400.000 pesetas.

De las 158 embajadas españolas repartidas por 151 países y siete organismos internacionales, sólo 17 poseen agregaduría cultural: París, Londres, Roma, Copenhague, Brasilia, Santiago de Chile, Bonn, Lisboa, Buenos Aires, México, Washington, Bruselas, Rabat, Lima, El Cairo, Estocolmo y Moscú, cuyos encargados son diplomáticos designados dentro del sistema ordinario de nombramientos, sin ningún criterio selectivo especial. De las 141 embajadas restantes, 73 tienen oficinas llevadas por consejeros diplomáticos o directores de centros culturales –contratados, no funcionarios–, o es el secretario de turno el encargado de la acción cultural, inexistente en la tercera parte de ellas.

El Gobierno socialista, en su programa electoral, se comprometió a impulsar *"la proyección exterior de la cultura española"* y llevar a cabo *"una política de promoción internacional"*, pero ahora, el secretario federal del PSOE para Cultura, **Salvador Clotas**, afirma que el partido *"no tiene por qué cooperar con nuestras representaciones"*.

"Tenemos una cultura exportable –añade **Salvador Clotas**–, *pero desconocida. En Japón, por ejemplo, han editado un libro sobre los grandes escritores del mundo, en que figuran Ortega y Gasset y García Lorca, pero no Cervantes. La imagen que proyectamos es la de una España folclórica que se corresponde con nuestra historia anterior"*.

Según un informe del Ministerio de Asuntos Exteriores enviado al presidente del Gobierno, **Felipe González**, la acción cultural de España en el mundo está *"entorpecida por dramáticas insuficiencias"*, debido a las cuales infinidad de proyectos han quedado por hacerse. España, dice el informe, ha entrado en *"círculos viciosos de irracionalidad"* por sus recursos, que no están *"rentabilizados adecuadamente"*.

No hay coordinación ni unificación de esfuerzos entre los organismos. No se incentivan las iniciativas particulares.

5. Al pie de la letra

"Nuestra acción cultural en el exterior —sentencia el informe— adolece de una grave multiformidad y descoordinación, tanto en su iniciativa como en su materialización." España ha cometido el grave error de haber ignorado su proyección de país europeo hacia África y América, su imagen no colonialista y las posibilidades de crecimiento de Iberoamérica. Pero sobre todo ha ignorado su capacidad de expansión cultural por el idioma: ni un solo funcionario en toda la Administración del Estado trabaja para el fomento del español en el extranjero. En Africa, quienes lo enseñan son profesores franceses y la situación de abandono es tal, que ha provocado las quejas del embajaor de España en Libreville (Gabón), **Joaquín Pérez Gómez.**

Según **Manuel González-Haba**, hasta hace poco subdirector general de Acción y Cooperación Cultural, de la Dirección General de Relaciones Culturales de Asuntos Exteriores, "no se ha notado el cambio de Gobierno del PSOE respecto a los de UCD". El PSOE se había comprometido antes de llegar al poder a nombrar representantes españoles en los foros internacionales e intelectuales. Hasta ahora, sólo dos ocupaban estos cargos, en la Academia de Roma (**Sixto Alba**, escultor, que ha cesado) y en el Centro Cultural de Viena (**Jaime de Siles**, poeta), pero designados por UCD.

Tras dos años y nueve meses de Gobierno socialista, no ha habido otros nombramientos y la única expe-

riencia ha sido la de **Sánchez-Dragó**, en Nairobi, que fue como contratado temporal. **Salvador Clotas** afirma "que no es lo más importante mandar a gente de prestigio al exterior; no va a ayudar a mejorar nuestra imagen".

También el escritor **Juan Benet** había sonado como posible embajador de España en la UNESCO, y no se le nombró. Después, él y **Jaime Salinas** fueron candidatos al cargo de director general de Relaciones Culturales en Asuntos Exteriores, que ha estado vacante durante tres meses. "A Juan Benet se le hizo una oferta oficial —dice **González Haba**—, pero la rechazó con buen criterio. Un creador de cultura no tiene por qué ser buen administrador. Es un error confundir ambos papeles; si un genio artístico se hace cargo de un departamento administrativo, lo mismo arma el pitote".

Igual opinión tiene el nuevo director general de Relaciones Culturales, **Mariano Alonso Burón**, y la consejera técnica del ministro de Cultura, **Soledad Puértolas**, quien además se pregunta "si hay tantos intelectuales en España como para exportar y si aceptarían las condiciones del trabajo". Para Asuntos Exteriores, "no hay por qué pensar que nuestro servicio exterior no está capacitado para desarrollar esta tarea".

Promoción cultural insuficiente

Según la directora general de Relaciones Culturales del Ministerio de Cultura, **Ana Puértolas**, los 2.509 millo-

nes que este año gastará su Ministerio en promoción cultural "son insuficientes". La cultura ha pasado de representar un 0,74 por 100 del presupuesto global del Estado en 1983, a un 0,88 por 100 en 1984 y un 0,95 en 1985. Las cifras, aunque crecientes, siempre están por debajo del "1 por 100 cultural", fijado como objetivo en los países avanzados del mundo. "En España —comenta **Mariano Alonso**—, la cultura no interesa. Nos pasamos la vida mirándonos al ombligo, y, con tres millones de parados si a los españoles se les dice que tienen que gastar más de 3.000 millones al año en fomentar nuestra cultura en el exterior, se están riendo hasta que les entren agujetas".

La Dirección General de Relaciones Culturales de Asuntos Exteriores tiene un presupuesto anual de 2.000 millones de pesetas. El mismo que, al cambio, dispone el consulado de Francia en Nueva York. Con este dinero, el poder adquisitivo de Relaciones Culturales es un 35 por 100 inferior al de 1982, debido a la inflación y la fluctuación de las divisas. Ya en este año la situación fue calificada de "insostenible".

Relaciones Culturales ha pedido, sin éxito, más presupuesto. Los centros culturales españoles usan el 85 por 100 de sus asignaciones en personal y mantenimiento de los edificios, y sólo el 15 por 100 restante en acciones que les son propias.

Las representaciones diplomáticas tienen, según datos de 1984, consignaciones trimestrales que oscilan entre los diez millones de pesetas de la embajada de Washington y las 100.000 del consulado en Marbella. Relaciones Culturales ha solicitado incrementos presupuestarios a corto y medio plazo hasta alcanzar un aumento del 50 por 100 respecto a los actuales, así como poder aumentar el número de becas y doblar el de lectorados de español en las universidades extranjeras.

Pero hasta el momento nada se ha hecho. La España de charanga y pandereta sigue en la mente de países que deberían conocer a estas alturas nuestro ingreso en el Mercado Común. Una contradicción que hay que solucionar cuanto antes.

Carlos Matías

ÍNDICE